Soupers rapides

Édition : Emilie Mongrain
Infographie : Chantal Landry
Traitement des images : Johanne Lemay
Révision : Lucie Desaulniers
Correction : Sylvie Massariol

Auteure : Geneviève O'Gleman, nutritionniste
Direction de création : Catherine Gravel,
    Quatre par Quatre
Direction artistique : Emilie Deshaies,
    Quatre par Quatre
Directrice de production : Maude Beauregard
Créatrice des recettes et contenus : Geneviève
    O'Gleman, nutritionniste
Chef d'équipe nutrition : Marianne Denis
Équipe Nutrition (analyses, recherche et
    rédaction) : Cynthia Chaput, Marianne Denis,
    Andrée-Anne Harvey et Marie-Pier Leroux,
    nutritionnistes
Équipe Cuisine (tests et validation) : Jef L'Ecuyer,
    Marie-Pier Leroux, nutritionnistes
Photographe : Maude Chauvin
Maisons pour les photos en couverture et
    d'ambiance : Kim Giroux et Caroline Jodoin
Styliste en chef : Daniel Raiche
Styliste culinaire : Marie-Christine Champagne
Rédactrice : Catherine Nguyen
Coordonnatrice de production : Adrianne Langlois
Assistante de production : Zoé Witala
Maquillage coiffure : Amélie Thomas
Chargée de projets communication et
    médias sociaux : Mylène Tétreault
Relations de presse : Geneviève Côté, GC
    Relations Médias, (514) 963-5565,
    genevieve.rp@gmail.com
Accessoires : boutique Réunion,
    boutique V de V

Catalogage avant publication de Bibliothèque
et Archives nationales du Québec et Bibliothèque
et Archives Canada

Titre : Soupers rapides / Geneviève O'Gleman.
Noms : O'Gleman, Geneviève, 1978- auteur.
Description : Comprend un index.
Identifiants : Canadiana 20190025131
| ISBN 9782761952149
Vedettes-matière : RVM : Dîners. | RVM : Cuisine santé.
| RVM : Cuisine rapide. | RVMGF : Livres de cuisine.
Classification : LCC TX738 O35 2019
| CDD 641.5/3—dc23

DISTRIBUTEURS EXCLUSIFS :

Pour le Canada et les États-Unis :
MESSAGERIES ADP inc.*
Téléphone : 450-640-1237
Internet : www.messageries-adp.com
* filiale du Groupe Sogides inc.,
    filiale de Québecor Média inc.

Pour la France et les autres pays :
INTERFORUM editis
Téléphone : 33 (0) 1 49 59 11 56/91
Service commandes France Métropolitaine
Téléphone : 33 (0) 2 38 32 71 00
Internet : www.interforum.fr
Service commandes Export — DOM-TOM
Internet : www.interforum.fr
Courriel : cdes-export@interforum.fr

Pour la Suisse :
INTERFORUM editis SUISSE
Téléphone : 41 (0) 26 460 80 60
Internet : www.interforumsuisse.ch
Courriel : office@interforumsuisse.ch
Distributeur : OLF S.A.
Commandes :
Téléphone : 41 (0) 26 467 53 33
Internet : www.olf.ch
Courriel : information@olf.ch

Pour la Belgique et le Luxembourg :
INTERFORUM BENELUX S.A.
Téléphone : 32 (0) 10 42 03 20
Internet : www.interforum.be
Courriel : info@interforum.be

11-19

Imprimé au Canada

Dépôt légal : 2019
Bibliothèque et Archives nationales du Québec

ISBN (version papier) 978-2-7619-5214-9
ISBN (version numérique) 978-2-7619-5215-6

Gouvernement du Québec – Programme de
crédit d'impôt pour l'édition de livres – Gestion
SODEC – www.sodec.gouv.qc.ca

L'Éditeur bénéficie du soutien de la Société
de développement des entreprises culturelles
du Québec pour son programme d'édition.

 Conseil des Arts   Canada Council
du Canada   for the Arts

Nous remercions le Conseil des Arts du Canada de
l'aide accordée à notre programme de publication.

Financé par le gouvernement du Canada   Canadä
Funded by the Government of Canada

Nous reconnaissons l'aide financière du
gouvernement du Canada par l'entremise du Fonds
du livre du Canada pour nos activités d'édition.

GENEVIÈVE O'GLEMAN

NUTRITIONNISTE

Soupers rapides

LES ÉDITIONS DE
L'HOMME

Édito

Qu'est-ce qu'on mange pour souper ?

Cette question qui revient sans cesse, comme un ressort qui rebondit dans tous les sens et qu'on ne peut attraper. Qui résonne dans votre tête sans que vous trouviez la réponse. Combien de fois vous la posez-vous chaque semaine ? Combien de fois vous l'a-t-on posée ? Combien de fois votre cerveau a-t-il fait le mort dès que vous entendiez les premiers mots de cette sempiternelle interrogation ? Combien de fois avez-vous eu envie de répondre : « Il n'y a pas de service au numéro que vous avez composé, Léon. » (Allô François Pérusse !)

On a beau aimer cuisiner, lorsqu'on arrive du boulot fatigué et affamé, c'est normal que l'inspiration ne soit pas au rendez-vous. C'est normal de regarder le frigo avec des yeux de poisson. C'est normal que votre tête, pleine de tous les défis de votre journée, soit vide d'idées.

C'est pour cette raison que j'ai consacré le deuxième titre de la collection à ces fameux soupers de soir de semaine. La mission que je me suis donnée ? Vous offrir des solutions gourmandes à la fois saines et simples à préparer. Renflouer votre banque d'idées avec des recettes rapides et faciles, pour les soirs où on aimerait bien se défiler devant la préparation du repas.

Créer des recettes rapides, c'est ma spécialité. C'est dans mon ADN professionnel. C'est là où je me sens le plus utile, et où je suis la plus créative. J'adore être dans ma cuisine, face à des ingrédients, et chercher le chemin le plus court pour me rendre à destination. Cette destination, c'est votre souper.

Oubliez le numéro de téléphone de la pizzeria du quartier. J'ai mieux à vous proposer ! Mieux que les boîtes repas qui se targuent d'être simples sans l'être réellement, mieux que les surgelés, si appétissants sur l'emballage et si décevants à l'intérieur, mieux que le casse-croûte du coin qui vous assommera avec ses plats trop gras, et mieux que la boîte de céréales qui vous fait de l'œil chaque fois que vous rentrez crevé à la maison. Et mieux encore, parce que vous aurez la fierté de l'avoir cuisiné. Ce sera frais, ce sera savoureux, ce sera santé, ce ne sera pas compliqué. Promis !

Respirez. Mon but ultime est de vous aider à décompresser. Je veux que vous preniez plus de plaisir et moins de temps à cuisiner des plats qui, je l'espère, plairont à toute la famille et qui vous permettront de passer de bons moments ensemble, réunis autour de la table, à savourer, tout simplement.

Bon appétit !

Geneviève

SOMMAIRE

ASTUCES

Viandes et volailles

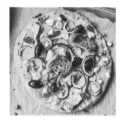

Burgers et sandwichs

Poissons et fruits de mer

Pizza au crabe

Pizza aux crevettes nordiques
et au fromage de chèvre

Toasts à l'avocat
et au crabe

Toasts au thon et au
fromage de chèvre

Toasts aux crevettes
nordiques et à l'aneth

Morue façon
Shake 'n Bake

Aiglefin en sauce aux
poivrons grillés

Morue poêlée et salsa
de mangue

Spaghetti au thon
et aux câpres

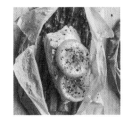

Papillote de poisson
citronné

Croquettes de thon
à l'indienne

Pâtes en sauce
crémeuse

Œufs et fromage

Toasts aux tomates
et au prosciutto

- 8 5 -

Toasts aux œufs
et aux épinards

- 8 6 -

Frittata au saumon,
au feta et à l'aneth

- 1 2 3 -

Strata à la courge
et au kale

- 1 2 4 -

Chakchouka

- 1 2 7 -

Macaroni au fromage

- 1 7 7 -

Végé

Sans-viande à tacos

- 5 0 -

Bol burrito

- 5 3 -

Patate douce garnie

- 5 4 -

Nachos repas

- 5 6 -

Bolognaise végé
à la mijoteuse

- 6 9 -

Couscous marocain

- 1 3 5 -

Fricassée de haricots
de Lima et d'aubergine

- 1 3 6 -

Plaque de
légumes-racines et de tofu

- 1 4 9 -

Quesadilla vide-frigo

- 1 5 0 -

Riz frit antigaspillage

- 1 5 3 -

Accompagnements

Couscous israélien
aux fines herbes

-184-

Riz parfumé à l'asiatique

-184-

Gnocchis grillés façon
patates frites

-185-

Grelots grillés

-185-

Orzo au parmesan

-186-

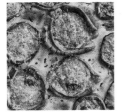

Patates douces
écrasées

-186-

Bouchées de chou-fleur
caramélisé

-187-

Poêlée de bette à carde

-187-

Kale au tzatziki

-188-

Verdure rapide

-188-

Brocoli sauté au miel
et au sésame

-189-

Légumes poêlés
à l'italienne

-189-

Salades-repas

Salade tiède de pommes
de terre au poulet grillé

-64-

Salade au porc
caramélisé

-129-

Salade de pommes
de terre et de lentilles

-139-

Salade de couscous
aux légumes

-146-

Salade touski

-172-

Sauces

Pesto de kale

-19-

Sauce blanche

-19-

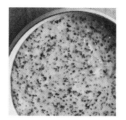

Sauce crémeuse
au pesto

-19-

Sauce rosée

-19-

Sauce tomate

-19-

Mayo épicée

-169-

Sauce crémeuse
à la moutarde

-171-

Vinaigrette déesse verte

-172-

Chimichurri

-174-

Sauce au fromage

-177-

Sauce tzatziki

-178-

Soupes

Soupe vietnamienne
au porc et aux bok choys

- 45 -

Soupe à la courge, aux épinards
et aux haricots blancs

- 91 -

Soupe asiatique aux
crevettes nordiques et
aux champignons enoki

- 94 -

Soupe minestrone

- 94 -

Soupe poulet et nouilles

- 94 -

Soupe tomatée
aux légumineuses

- 94 -

Soupe thaïe au poisson

- 114 -

Desserts

Biscuit à la poêle

- 199 -

Sorbet aux fraises
et aux betteraves

- 201 -

Compote de bleuets
et de canneberges

- 203 -

Crumble aux poires
et à la cardamome

- 204 -

Pouding choco-chia

- 206 -

Parfait façon
forêt-noire

- 213 -

Parfait façon
banana split

- 216 -

Parfait tropical
au tapioca

- 219 -

Parfait façon tarte
aux pommes

- 220 -

Parfait façon tarte
au citron

- 223 -

Le bar à pizzas

C'est du resto ? Non, c'est fait maison !

Avec une pâte à pizza du commerce qui attend
patiemment au congélateur, la pizza devient
le parfait dépanneur des soirs de semaine.
C'est un repas rapide, polyvalent et vide-frigo.
Laissez-vous aller et créez des pizzas uniques
à partir de ce que vous avez sous la main.
Le principe est simple : choisissez une option
(ou plusieurs !) dans chacune des six catégories,
assemblez le tout, et hop, envoyez la *pizz* au
four. Avouez qu'une pizza maison un mardi soir,
ça fait son effet !

La croûte

Plusieurs options s'offrent à vous pour
créer des pizzas à la fois gourmandes
et rapides à préparer un soir de semaine.
Pas besoin de sortir tout le tralala
nécessaire pour faire une pâte à pizza
à partir de zéro. Gardez ce projet pour la fin
de semaine, avec les amis et un bon verre
de vin. Un mardi soir, rabattez-vous
sur la boule de pâte crue de l'épicerie ou
de la boulangerie, ou encore sur la pâte
précuite à croûte mince, la focaccia, le pain
naan, le pita, le bagel, le muffin anglais...
Amusez-vous à réinventer les croûtes pour
faire des pizzas à la fois variées et réalistes
pour vos soirées pressées.

La sauce

C'est la sauce qui donne le ton à la pizza !
Une délicate sauce crémeuse, une sauce
tomate classique ou rosée, un pesto
parfumé, une salsa pimentée... C'est
la base de toutes les possibilités. Faites-la
vous-même ou tournez-vous vers une sauce
du commerce comportant une courte liste
d'ingrédients. Et vous pouvez même laisser
tomber la sauce et préparer ce que
les Italiens appellent la *pizza blanco* !

Sauce tomate
→

↓ Pesto de kale

↓ Sauce blanche

↓ Sauce rosée

Sauce crémeuse
↓ au pesto

Sauce tomate

Au mélangeur électrique (*blender*) ou à l'aide
d'un pied-mélangeur, réduire en purée lisse 2 tomates
coupées en quatre, 60 ml (1/4 tasse) de tomates
séchées dans l'huile (environ 4 morceaux), les feuilles
de 2 branches de romarin frais, 1 gousse d'ail et
2,5 ml (1/2 c. à thé) de sucre. Poivrer généreusement
et ajouter une pincée de sel.

Donne environ 375 ml (1 1/2 tasse).

Sauce blanche

Dans une petite casserole, hors du feu, mélanger
250 ml (1 tasse) de lait, 30 ml (2 c. à soupe) de farine
tout usage, 15 ml (1 c. à soupe) de vin blanc
(facultatif), une pincée de poudre d'ail et une pincée
de piment de Cayenne moulu. Poivrer généreusement
et ajouter une pincée de sel. Porter à ébullition à feu
moyen-vif en fouettant régulièrement, jusqu'à ce que
la sauce épaississe.

Donne environ 250 ml (1 tasse).

Sauce crémeuse au pesto

Mélanger une part de pesto de kale à quatre parts
de sauce blanche. Par exemple, pour obtenir
300 ml (1 1/4 tasse) de sauce crémeuse au pesto,
mélanger 60 ml (1/4 tasse) de pesto et
250 ml (1 tasse) de sauce blanche.

Pesto de kale

Dans le récipient du robot culinaire, déposer
500 ml (2 tasses) de basilic frais, 250 ml (1 tasse)
de kale (chou frisé, voir p. 236) sans les tiges,
60 ml (1/4 tasse) de parmesan finement râpé,
30 ml (2 c. à soupe) d'huile d'olive et
30 ml (2 c. à soupe) d'eau. Poivrer généreusement
et ajouter une pincée de sel. Pulser à quelques
reprises pour hacher finement.

Donne environ 375 ml (1 1/2 tasse).

Sauce rosée

Mélanger une part de sauce tomate à deux parts
de sauce blanche. Par exemple, pour obtenir
250 ml (1 tasse) de sauce rosée, mélanger
80 ml (1/3 tasse) de sauce tomate et
160 ml (2/3 tasse) de sauce blanche.

Toutes ces sauces se conservent 3 jours au réfrigérateur.
La sauce tomate et le pesto de kale se conservent 3 mois au congélateur.

Les garnitures

C'est ici que vous pouvez (ou devez !) vous
éclater. Réinventez les classiques à partir
de ce que vous avez dans le frigo ou
inventez carrément de nouveaux classiques
selon vos envies. Pas de règle à respecter,
à part celle de laisser aller votre créativité.
C'est le temps de passer vos petits restes
de légumes, de viandes et de fromages,
sans discrimination. À la sortie du four,
ajoutez un peu de verdure : roquette, jeunes
épinards, herbes fraîches... Je parie que
votre nouvelle pizza vous étonnera !

Les protéines

Il n'y a pas que le pepperoni dans la vie !
Osez renouveler votre répertoire en
ajoutant du crabe, des crevettes, du poisson
fumé ou en conserve, du tempeh râpé
ou émietté, du tofu fumé, des saucisses
grillées, des viandes braisées, grillées
ou effilochées, des protéines végétales
texturées... C'est le temps de vous amuser !

Le fromage

Au-delà de la mozzarella, garnissez chaque fois vos pizzas d'un nouveau fromage. Cheddar fort, gouda ou feta. Frais, affiné, crémeux ou râpé. Laissez-vous guider par ce que vous aimez. Et savez-vous quoi ? Les fromages québécois aussi aiment la pizza ! Choisissez un fromage d'ici qui s'harmonisera bien avec ce que vous avez déjà dans le frigo. Local et antigaspillage, pour une pizza bien de son temps.

Le petit plus

Un extra avec ça ? Fouillez dans le frigo
à la recherche de vos petits pots
gourmands. Aubergines marinées,
poivrons grillés, sauce piquante ou
barbecue, piments forts ou pestos,
artichauts, tomates séchées, câpres, olives
et tapenades... Vous avez probablement
déjà tout ce qu'il faut pour amener votre
pizza à un autre niveau !

Pizza aux épinards et au prosciutto

Une margherita *boostée* pour décrocher de votre journée,
sans passer un temps fou à cuisiner.

PORTIONS — 4
PRÉPARATION — 15 MIN
CUISSON — 10 MIN

INGRÉDIENTS

Farine (pour la surface de travail)

Pâte à pizza du commerce (voir p. 237) — 1 boule de 450 g

Sauce tomate (voir p. 19) — 125 ml (1/2 tasse)

Jeunes épinards — 500 ml (2 tasses)

Prosciutto — 4 tranches (60 g / 2 oz)

Mozzarella fraîche — 1 boule de 250 g

Basilic frais — au goût

PRÉPARATION

1   Préchauffer le four à 260 °C (500 °F). Placer la grille à la position la plus basse. Tapisser une grande plaque de cuisson de papier parchemin (ou d'une feuille de cuisson réutilisable).

2   Sur un comptoir propre et fariné, avec les mains farinées, étirer la pâte à pizza de manière à obtenir une grande pizza ou deux moyennes. Déposer sur la plaque de cuisson.

3   À l'aide d'une cuillère, étendre la sauce tomate sur la pâte. Répartir les épinards. Déchirer les tranches de prosciutto et la mozzarella directement sur la pizza.

4   Cuire au four 10 minutes ou jusqu'à ce que la croûte soit dorée.

5   À la sortie du four, garnir de feuilles de basilic et servir.

Cette recette est meilleure préparée à la dernière minute, mais se conserve 3 jours au réfrigérateur.

VALEUR NUTRITIVE

Calories 510 — Protéines 25 g — Lipides 19 g — Glucides 60 g — Fibres 4 g — Sodium 907 mg

Pizza au crabe

Une pizza chic, un verre de blanc, de la bonne compagnie.
Cette soirée promet d'être réussie.

PORTIONS — 4
PRÉPARATION — 15 MIN
CUISSON — 10 MIN

INGRÉDIENTS

Courgette (zucchini) — 1

Chair de crabe en morceaux — 1 boîte de 120 g

Fromage mozzarella — 125 g (4 oz) ou 250 ml (1 tasse) râpé

Farine (pour la surface de travail)

Pâte à pizza du commerce (voir p. 237) — 1 boule de 450 g

Sauce blanche (voir p. 19) — 125 ml (1/2 tasse)

Citron — 1

Roquette — 500 ml (2 tasses)

PRÉPARATION

1   Préchauffer le four à 260 °C (500 °F). Placer la grille à la position la plus basse. Tapisser une grande plaque de cuisson de papier parchemin (ou d'une feuille de cuisson réutilisable).

2   Couper la courgette en fines tranches, égoutter le crabe et râper le fromage.

3   Sur un comptoir propre et fariné, avec les mains farinées, étirer la pâte à pizza de manière à obtenir une grande pizza ou deux moyennes. Déposer sur la plaque de cuisson.

4   À l'aide d'une cuillère, étendre la sauce blanche sur la pâte.

5   Dans l'ordre, répartir les tranches de courgette, la chair de crabe et le fromage sur la pizza.

6   Cuire au four 10 minutes ou jusqu'à ce que la croûte soit dorée.

7   Pendant ce temps, couper le citron en quartiers. À la sortie du four, garnir de roquette, presser les quartiers de citron sur la pizza et servir.

Cette recette est meilleure préparée à la dernière minute, mais se conserve 3 jours au réfrigérateur.

VALEUR NUTRITIVE

Calories 439 — Protéines 23 g — Lipides 13 g — Glucides 60 g — Fibres 4 g — Sodium 947 mg

Pizza à la grecque

Envie de pizza ? Envie de souvlaki ? Une pizza parfaite pour les indécis !

PORTIONS — 4
PRÉPARATION — 15 MIN
CUISSON — 7 MIN

INGRÉDIENTS

Pains pitas de style grec (voir Note) — 4

Huile d'olive — 15 ml (1 c. à soupe)

Oignon rouge — 1/2 petit

Cœurs d'artichaut — 250 ml (1 tasse)

Poulet cuit — 250 ml (1 tasse) en tranches

Olives Kalamata dénoyautées — 125 ml (1/2 tasse)

Fromage feta — 90 g (3 oz) ou 125 ml (1/2 tasse) émietté

Origan frais — au goût

PRÉPARATION

1   Préchauffer le four à 200 °C (400 °F). Placer la grille à la position la plus basse. Tapisser une grande plaque de cuisson de papier parchemin (ou d'une feuille de cuisson réutilisable).

2   Déposer les pitas sur la plaque de cuisson et badigeonner d'huile à l'aide d'un pinceau de cuisine.

3   Trancher finement l'oignon et égoutter les cœurs d'artichaut.

4   Répartir l'oignon, les cœurs d'artichaut, le poulet et les olives sur les pitas. Émietter le feta directement au-dessus des pizzas.

5   Cuire au four de 5 à 7 minutes ou jusqu'à ce que les pizzas soient dorées.

6   À la sortie du four, garnir d'origan et servir.

Cette recette est meilleure préparée à la dernière minute, mais se conserve 3 jours au réfrigérateur.

NOTE   On différencie les pitas de style grec des pitas réguliers par leur épaisseur. Comme ils sont plus épais, ils sont parfaits pour remplacer une pâte à pizza. Privilégiez les plus minces pour manger en sandwichs ou faire des croustilles.

VALEUR NUTRITIVE

Calories 461 — Protéines 25 g — Lipides 18 g — Glucides 50 g — Fibres 4 g — Sodium 974 mg

Pizza aux crevettes nordiques et au fromage de chèvre

Quand l'Italie rencontre la Gaspésie... sur un pain indien !

PORTIONS — 4
PRÉPARATION — 10 MIN
CUISSON — 10 MIN

INGRÉDIENTS

Pains naans — 4

Sauce rosée (voir p. 19) — 125 ml (1/2 tasse)

Champignons — 4

Crevettes nordiques surgelées — 250 ml (1 tasse)

Fromage de chèvre non affiné à pâte molle — 1 paquet de 125 g

Oignons verts — 2

Poivre du moulin

PRÉPARATION

1   Préchauffer le four à 200 °C (400 °F). Placer la grille à la position la plus basse. Tapisser une grande plaque de cuisson de papier parchemin (ou d'une feuille de cuisson réutilisable).

2   Déposer les pains naans sur la plaque de cuisson. À l'aide d'une cuillère, étendre la sauce rosée sur les pains.

3   Trancher finement les champignons. Rincer et égoutter les crevettes.

4   Répartir les champignons et les crevettes sur les pains. Émietter le fromage directement sur les pizzas.

5   Cuire au four 10 minutes ou jusqu'à ce que les pizzas soient dorées.

6   Pendant ce temps, trancher finement les oignons verts.

7   À la sortie du four, garnir d'oignons verts et de poivre concassé. Servir.

Cette recette est meilleure préparée à la dernière minute, mais se conserve 3 jours au réfrigérateur.

VALEUR NUTRITIVE

Calories 412 — Protéines 19 g — Lipides 13 g — Glucides 57 g — Fibres 3 g — Sodium 1069 mg

Pizza au porc BBQ

Audacieuse et un brin rebelle, cette pizza décoiffera votre mardi soir !

PORTIONS — 4
PRÉPARATION — 15 MIN
CUISSON — 10 MIN

INGRÉDIENTS

Poivron — 1

Fromage mozzarella — 125 g (4 oz) ou 250 ml (1 tasse) râpé

Farine (pour la surface de travail)

Pâte à pizza du commerce (voir p. 237) — 1 boule de 450 g

Sauce tomate (voir p. 19) — 125 ml (1/2 tasse)

Porc cuit (voir Note) — 375 ml (1 1/2 tasse) tranché finement

Coriandre fraîche — au goût

Sauce barbecue du commerce — au goût

Sauce piquante (de type Tabasco) — au goût

PRÉPARATION

1 Préchauffer le four à 260 °C (500 °F). Placer la grille à la position la plus basse. Tapisser une grande plaque de cuisson de papier parchemin (ou d'une feuille de cuisson réutilisable).
2 Trancher finement le poivron. Râper le fromage.
3 Sur un comptoir propre et fariné, avec les mains farinées, étirer la pâte à pizza de manière à obtenir une grande pizza ou deux moyennes. Déposer sur la plaque de cuisson.
4 À l'aide d'une cuillère, étendre la sauce tomate sur la pâte.
5 Répartir le poivron et le porc sur la pizza. Ajouter le fromage.
6 Cuire au four 10 minutes ou jusqu'à ce que la croûte soit dorée.
7 Pendant ce temps, hacher grossièrement la coriandre.
8 À la sortie du four, garnir de coriandre, de sauce barbecue et de sauce piquante. Servir.

Cette recette est meilleure préparée à la dernière minute, mais se conserve 3 jours au réfrigérateur.

NOTE Rôti de porc, filet de porc, porc effiloché ou même rôti de bœuf, toutes ces options sont bonnes pour garnir cette pizza !

VALEUR NUTRITIVE

Calories 512 — Protéines 32 g — Lipides 16 g — Glucides 59 g — Fibres 4 g — Sodium 827 mg

Pour gagner du temps

Vous ne voulez pas (ou ne pouvez pas) consacrer votre dimanche
à la préparation de la bouffe de la semaine ? Pas de souci, voici quelques
petits trucs simples qui vous permettront d'alléger la préparation
de vos soupers, même si vous êtes à la dernière minute.

- Avant de commencer, libérez vos comptoirs. Prenez quelques minutes pour ranger les
factures, les clés ou les papiers qui traînent. Rangez les petits électroménagers que
vous n'utilisez qu'une fois l'an. Même à l'étroit, une petite cuisine peut devenir très
fonctionnelle. Vos gestes seront plus sûrs et plus rapides si vous avez de l'espace pour
travailler.

- Pour éviter de chercher vos ustensiles de cuisson et libérer vos tiroirs du fouillis, placez
un pot à ustensiles sur un coin de comptoir et déposez-y tout ce que vous utilisez le plus
souvent : cuillères en bois, fouet, pinces, spatule, cuillères de service.

- Équipez-vous d'une grande planche à découper bien stable. Vous serez plus à l'aise
pour travailler qu'avec une toute petite planche où tout risque de tomber sur les côtés.

- Gardez une lingette à portée de main pendant que vous cuisinez pour nettoyer
vos surfaces de travail au fur et à mesure.

- Prévoyez un grand bol près de vous et déposez-y toutes les épluchures et parties non
comestibles qui iront au compost. Ce sera plus simple lorsque viendra le temps
de nettoyer et vous éviterez plusieurs va-et-vient.

- Vous avez terminé avec la râpe à fromage ? N'attendez pas pour la placer
au lave-vaisselle. Débarrassez au fur et à mesure. Pendant que le plat mijote,
profitez-en pour ranger ce qui ne sera plus utilisé, pour dresser la table et prendre
de l'avance sur le lavage de la vaisselle. Faites tremper les plats collés et vous passerez
à table en sachant que la cuisine n'est pas un champ de bataille !

- Soirée surchargée ? Les bases (voir p. 41) qui vous attendent sagement au congélo
vous donneront une belle longueur d'avance.

- Ayez le réflexe de doubler ou de tripler les recettes de chili, de cari, de soupes-repas,
de sauces pour les pâtes et de mijotés. Ce ne sera pas tellement plus long à cuisiner
et vous aurez toujours un plan B à portée de main.

Ces petits gestes vous permettront de réduire vos temps de préparation de plusieurs
précieuses minutes. Et comme rien ne se perd, ce seront autant de minutes de temps libre
que vous aurez gagnées !

Bases rapides

Pour démarrer la semaine sur de bonnes bases

Le truc ultime pour économiser du temps
en cuisine ? Connaître par cœur quelques
recettes simples que vous maîtrisez bien, que
tout le monde aime et que vous pouvez *twister*
selon votre envie du moment. Avec ces trois
recettes de base, une foule de repas s'offrent
à vous. Vous pouvez facilement doubler
(ou tripler) ces bases et les apprêter
différemment pendant la semaine. Personne
n'aura l'impression de manger deux fois
la même chose et vous aurez toujours
une solution lorsque l'inspiration
manquera à l'appel.

Filet de porc à l'asiatique

Trois ingrédients vite cuisinés, et voilà un filet de porc qui se déclinera en trois plats ou plus, selon vos envies ! De la simplicité sans compromis.

PORTIONS — 8
PRÉPARATION — 10 MIN
CUISSON — 15 MIN

INGRÉDIENTS

Filets de porc — 2 (environ 1 kg / 2 lb)

Huile d'olive — 10 ml (2 c. à thé)

Sauce hoisin (voir p. 237) — 60 ml (1/4 tasse)

PRÉPARATION

1 Couper les filets de porc en deux sur la longueur.

2 Dans un poêlon antiadhésif, chauffer l'huile à feu moyen.

3 Cuire les morceaux de porc 5 ou 6 minutes d'un côté, retourner et poursuivre la cuisson 5 ou 6 minutes.

4 Réduire à feu doux. À l'aide d'un pinceau de cuisine, badigeonner le porc de sauce hoisin en le retournant pour bien l'enrober.

5 Poursuivre la cuisson 1 ou 2 minutes de chaque côté.

6 Réfrigérer ou intégrer à une recette.

Se conserve 4 jours au réfrigérateur ou 4 mois au congélateur.

VALEUR NUTRITIVE

Calories 145 — Protéines 23 g — Lipides 4 g — Glucides 4 g — Fibres 0 g — Sodium 178 mg

Soupe vietnamienne
au porc et aux bok choys

Ne jugez pas avant de goûter : malgré sa grande simplicité,
son bouillon parfumé vous fera voyager !

PORTIONS — 4
PRÉPARATION — 10 MIN
CUISSON — 10 MIN

INGRÉDIENTS

Bouillon de poulet sans sel ajouté — 2 L (8 tasses)

Mini bok choys (voir p. 237) — environ 8

Nouilles de riz pour sautés — 150 g (5 oz)

Oignons verts — 2

Porc à l'asiatique (voir p. 42) — 1 filet

Sauce soya — 30 ml (2 c. à soupe)

Sauce piquante sriracha — au goût

PRÉPARATION

1 Dans une grande casserole, porter le bouillon à ébullition.

2 Pendant ce temps, couper les bok choys en deux sur la longueur, déposer dans un tamis et rincer sous l'eau froide.

3 Ajouter les bok choys et les nouilles au bouillon et cuire de 2 à 5 minutes ou jusqu'à ce que les nouilles soient tendres.

4 Trancher finement les oignons verts et couper le porc en tranches.

5 Répartir la soupe dans 4 bols. Ajouter le porc (voir Note), les oignons verts, la sauce soya et la sriracha. Servir.

Se conserve 3 jours au réfrigérateur et ne se congèle pas.

NOTE Inutile de réchauffer votre filet de porc si vous l'avez préparé à l'avance et qu'il est froid : le bouillon chaud s'en chargera !

VALEUR NUTRITIVE

Calories 326 — Protéines 31 g — Lipides 4 g — Glucides 40 g — Fibres 2 g — Sodium 785 mg

Bol repas à l'asiatique

Plein de saveurs et de textures, ce bol comblera toutes vos envies
(même celle d'avoir un souper pas compliqué) !

PORTIONS — 4
PRÉPARATION — 15 MIN
CUISSON — 5 MIN

INGRÉDIENTS

Edamames écossés surgelés — 250 ml (1 tasse)

Fenouil — 1/4

Vinaigre de riz — 10 ml (2 c. à thé)

Poivron orange — 1

Sauce hoisin (voir p. 237) — 60 ml (1/4 tasse)

Porc à l'asiatique (voir p. 42) — 1 filet

Riz parfumé à l'asiatique (voir p. 184) — la recette complète (750 ml / 3 tasses)

Graines de sésame grillées — 30 ml (2 c. à soupe)

PRÉPARATION

1   Porter de l'eau à ébullition.

2   Dans un bol moyen, déposer les edamames, couvrir d'eau bouillante et laisser reposer
    5 minutes. Égoutter.

3   Pendant ce temps, trancher finement le fenouil et déposer dans un bol avec le vinaigre
    de riz. Laisser mariner le temps de préparer le reste des ingrédients.

4   Trancher finement le poivron. Étendre la sauce hoisin sur le porc cuit et couper en tranches
    épaisses. Égoutter le fenouil.

5   Répartir le riz dans 4 bols. Ajouter le fenouil mariné, le poivron, les edamames et le porc.
    Saupoudrer de graines de sésame et servir.

Se conserve 4 jours au réfrigérateur et ne se congèle pas.

VALEUR NUTRITIVE

Calories 449 — Protéines 33 g — Lipides 9 g — Glucides 58 g — Fibres 4 g — Sodium 719 mg

Baguette au filet de porc asiatique

Le souper parfait quand votre batterie tombe à plat.
Préparez, savourez et relaxez.

PORTIONS — 4
PRÉPARATION — 10 MIN
CUISSON — 5 MIN

INGRÉDIENTS

Baguette de pain — 1 (environ 300 g)

Concombre anglais — 1

Oignons verts — 2

Mayo épicée (voir p. 169) — la recette complète (125 ml / 1/2 tasse)

Porc à l'asiatique (voir p. 42) — 1 filet

PRÉPARATION

1   Préchauffer le four à 200 °C (400 °F). Placer la grille au centre du four.

2   Couper la baguette en 4 tronçons égaux, puis couper chaque tronçon en deux sur l'épaisseur. Réchauffer au four 5 minutes.

3   Pendant ce temps, trancher finement le concombre et les oignons verts.

4   Répartir la mayo épicée dans les 4 sandwichs.

5   Couper le filet de porc en tranches épaisses. Au besoin, s'il a été préparé à l'avance, réchauffer 2 minutes au four à micro-ondes. Répartir dans les sandwichs.

6   Garnir de tranches de concombre et d'oignons verts. Servir.

Cette recette est meilleure préparée à la dernière minute.

VALEUR NUTRITIVE

Calories 451 — Protéines 30 g — Lipides 15 g — Glucides 47 g — Fibres 2 g — Sodium 745 mg

Sans-viande à tacos

Superbe porte d'entrée dans le monde végé.
Parfait pour réunir sceptiques et convertis autour d'un même plat !

PORTIONS — 12
PRÉPARATION — 20 MIN
CUISSON — 25 MIN

INGRÉDIENTS

Chou-fleur — 1

Noix de Grenoble — 500 ml (2 tasses)

Pâte de tomates — 1 boîte de 156 ml

Assaisonnement au chili à la mexicaine — 30 ml (2 c. à soupe)

Cumin moulu — 10 ml (2 c. à thé)

Piment chili chipotle moulu — 5 ml (1 c. à thé)

Sel — 5 ml (1 c. à thé)

Poivre

PRÉPARATION

1 Préchauffer le four à 230 °C (450 °F). Placer la grille au centre du four. Tapisser deux plaques de cuisson de papier parchemin (ou de feuilles de cuisson réutilisables).

2 Défaire grossièrement le chou-fleur en fleurons.

3 Au robot culinaire, hacher finement le chou-fleur pour obtenir de petits grains. Au besoin, procéder en 2 ou 3 étapes pour ne pas surcharger l'appareil. Transvider dans un grand bol.

4 Au robot culinaire, hacher finement les noix et déposer dans le bol avec le chou-fleur.

5 Ajouter la pâte de tomates et les épices. Poivrer généreusement et bien mélanger.

6 Répartir le mélange uniformément sur les plaques de cuisson.

7 Cuire au four 25 minutes, en remuant à mi-cuisson.

8 Réfrigérer ou intégrer à une recette.

Se conserve 5 jours au réfrigérateur ou 6 mois au congélateur.

VALEUR NUTRITIVE

Calories 163 — Protéines 5 g — Lipides 14 g — Glucides 8 g — Fibres 3 g — Sodium 241 mg

Bol burrito

Comme au resto mexicain, sombrero et mariachis en moins.

PORTIONS — 6
PRÉPARATION — 15 MIN
CUISSON — 20 MIN

INGRÉDIENTS

Riz basmati — 375 ml (1 1/2 tasse)

Eau — 750 ml (3 tasses)

Maïs surgelé — 250 ml (1 tasse)

Tomates cerises — 500 ml (2 tasses)

Radis — 4 à 6

Limes — 2

Avocat — 1

Haricots noirs — 1 boîte de 540 ml

Sans-viande à tacos (voir p. 50) — 500 ml (2 tasses)

Jeunes épinards — 500 ml (2 tasses)

PRÉPARATION

1 À l'aide d'un tamis, rincer le riz sous l'eau froide et égoutter.

2 Dans une casserole moyenne, déposer le riz et l'eau. Porter à ébullition à feu vif. Réduire à feu moyen-doux, couvrir et cuire 15 minutes.

3 Retirer du feu, ajouter le maïs et laisser reposer 5 minutes à couvert.

4 Pendant ce temps, couper les tomates cerises en deux, les radis et les limes en quartiers et l'avocat en lamelles.

5 Rincer et égoutter les haricots. Au besoin, s'il a été préparé à l'avance, réchauffer le sans-viande à tacos 2 ou 3 minutes au four à micro-ondes.

6 Répartir tous les ingrédients dans 6 bols et servir.

Cette recette est meilleure préparée à la dernière minute.

VALEUR NUTRITIVE

Calories 515 — Protéines 16 g — Lipides 21 g — Glucides 73 g — Fibres 15 g — Sodium 312 mg

Patate douce garnie

Le plat végé branché, pour le grano assumé.

PORTIONS — 6

PRÉPARATION — 20 MIN

CUISSON — 20 MIN

INGRÉDIENTS

Quinoa — 375 ml (1 1/2 tasse)

Eau — 750 ml (3 tasses)

Patates douces — 3

Échalote française — 1

Coriandre fraîche — 125 ml (1/2 tasse)

Sans-viande à tacos (voir p. 50) — 500 ml (2 tasses)

Huile d'olive — 15 ml (1 c. à soupe)

Fromage feta — 90 g (3 oz) ou 125 ml (1/2 tasse) émietté

Limes — 2

Poivre et sel

PRÉPARATION

1   À l'aide d'un tamis, rincer le quinoa sous l'eau froide et égoutter.
2   Dans une casserole moyenne, déposer le quinoa et l'eau. Porter à ébullition à feu vif. Réduire à feu moyen-doux, couvrir et cuire 10 minutes.
3   Retirer du feu et laisser reposer 5 minutes à couvert.
4   Pendant ce temps, couper les patates douces en deux sur la longueur et les déposer dans une assiette, la peau vers le haut. Cuire au four à micro-ondes de 5 à 7 minutes ou jusqu'à ce que la pointe d'un couteau s'insère facilement dans la chair. Au besoin, procéder en deux étapes selon la capacité du four à micro-ondes.
5   Retourner les patates douces et laisser tiédir. Hacher l'échalote et la coriandre.
6   À l'aide d'une fourchette, défaire la chair des patates en la laissant dans la pelure.
7   Dans un bol, mélanger le quinoa cuit, l'échalote, la coriandre, le sans-viande à tacos et l'huile. Émietter le feta et presser les limes directement au-dessus du bol. Mélanger, poivrer généreusement et ajouter une pincée de sel.
8   Répartir le mélange de quinoa sur les patates douces et servir.

Cette recette est meilleure préparée à la dernière minute.

VALEUR NUTRITIVE

Calories 451 — Protéines 15 g — Lipides 22 g — Glucides 52 g — Fibres 8 g — Sodium 440 mg

Nachos repas

Que vous soyez végé ou pas, laissez son charme opérer.
Je vous le garantis, le *party* va lever !

PORTIONS — 6
PRÉPARATION — 15 MIN
CUISSON — 4 MIN

INGRÉDIENTS

Avocat — 1

Poivron jaune — 1

Tomates — 2

Oignons verts — 3

Coriandre fraîche — 250 ml (1 tasse)

Jalapeno — 1 (facultatif)

Sans-viande à tacos (voir p. 50) — 500 ml (2 tasses)

Salsa mexicaine — 250 ml (1 tasse)

Fromage râpé, au choix — 250 ml (1 tasse)

Croustilles de maïs — au goût

PRÉPARATION

1   Préchauffer le four à gril (*broil*). Placer la grille au centre du four. Tapisser une plaque de cuisson de papier parchemin (ou d'une feuille de cuisson réutilisable).

2   Couper l'avocat, le poivron et les tomates en dés. Hacher les oignons verts et la coriandre. Trancher le jalapeno en fines rondelles.

3   Répartir le sans-viande à tacos, la salsa et le fromage râpé sur la plaque de cuisson.

4   Cuire au four de 2 à 4 minutes ou jusqu'à ce que le fromage soit doré.

5   Répartir les légumes et la coriandre sur la plaque. Servir avec des croustilles de maïs.

Cette recette est meilleure préparée à la dernière minute.

VALEUR NUTRITIVE

Calories 573 — Protéines 15 g — Lipides 36 g — Glucides 51 g — Fibres 11 g — Sodium 703 mg

Poitrine de poulet au cari et au sirop d'érable

Cinq ingrédients et cinq étapes simples, à faire et à refaire, les yeux fermés.

PORTIONS — 4
PRÉPARATION — 10 MIN
CUISSON — 12 MIN

INGRÉDIENTS

Poitrines de poulet — 2 (450 g / 1 lb)

Poudre de cari — 15 ml (1 c. à soupe)

Huile d'olive — 15 ml (1 c. à soupe)

Sirop d'érable — 15 ml (1 c. à soupe)

Sel — 1 pincée

PRÉPARATION

1   Couper les poitrines de poulet en deux sur l'épaisseur.

2   Dans un bol moyen, mélanger le cari, l'huile, le sirop d'érable et le sel. Ajouter le poulet et mélanger pour bien l'enrober.

3   Dans un poêlon antiadhésif préchauffé à feu moyen-vif, sans ajouter de matière grasse, cuire le poulet 5 minutes.

4   Réduire à feu moyen, retourner le poulet et poursuivre la cuisson de 5 à 7 minutes ou jusqu'à ce qu'il soit bien cuit.

5   Réfrigérer ou intégrer à une recette.

Se conserve 4 jours au réfrigérateur ou 3 mois au congélateur.

NOTE   Pour faire des réserves, n'hésitez pas à doubler la recette. Vous n'aurez qu'à cuire le poulet en deux temps ou dans deux poêlons en parallèle.

VALEUR NUTRITIVE

Calories 170 — Protéines 25 g — Lipides 5 g — Glucides 4 g — Fibres 1 g — Sodium 96 mg

Riz au poulet et à la lime

Ici, tout le crédit revient à la lime,
mais vous avez quand même le mérite de l'avoir pressée !

PORTIONS — 6
PRÉPARATION — 20 MIN
CUISSON — 25 MIN

INGRÉDIENTS

Riz basmati — 375 ml (1 1/2 tasse)

Eau — 750 ml (3 tasses)

Oignon rouge — 1 petit

Poivron rouge — 1

Coriandre fraîche — 125 ml (1/2 tasse)

Poulet au cari et au sirop d'érable (voir p. 59) — la recette complète (2 poitrines)

Limes — 3

Huile d'olive — 15 ml (1 c. à soupe)

Petits pois surgelés — 500 ml (2 tasses)

Poivre et sel

PRÉPARATION

1   À l'aide d'un tamis, rincer le riz sous l'eau froide et égoutter.

2   Dans une casserole moyenne, déposer le riz et l'eau. Porter à ébullition à feu vif. Réduire à feu moyen-doux, couvrir et cuire 15 minutes. Retirer du feu et laisser reposer 5 minutes à couvert.

3   Pendant ce temps, hacher l'oignon, le poivron et la coriandre. Couper le poulet en dés et 1 lime en six.

4   Dans un grand poêlon, chauffer l'huile à feu moyen-vif. Cuire l'oignon 3 minutes. Ajouter le poivron et les petits pois et poursuivre la cuisson 3 minutes en remuant de temps en temps.

5   Ajouter le riz et le poulet. Presser les 2 autres limes directement au-dessus du poêlon et mélanger. Poivrer généreusement et ajouter une pincée de sel.

6   Répartir dans 6 bols, garnir de coriandre et d'un morceau de lime. Servir.

Se conserve 3 jours au réfrigérateur et ne se congèle pas.

VALEUR NUTRITIVE

Calories 374 — Protéines 23 g — Lipides 6 g — Glucides 55 g — Fibres 4 g — Sodium 150 mg

Burger de poulet au fromage de chèvre et aux pommes

Parfait antidote au *blues* du lundi.

PORTIONS — 4
PRÉPARATION — 15 MIN
CUISSON — 2 MIN

INGRÉDIENTS

Pains briochés ou aux œufs — 4

Pomme — 1

Fromage de chèvre non affiné à pâte molle — 1 paquet de 125 g, à température ambiante

Poulet au cari et au sirop d'érable (voir p. 59) — la recette complète (2 poitrines)

Moutarde à l'ancienne (moutarde de Meaux) — 60 ml (1/4 tasse)

Jeunes épinards — 375 ml (1 1/2 tasse)

PRÉPARATION

1   Préchauffer le four à gril (*broil*). Placer la grille au centre du four.

2   Couper les pains en deux sur l'épaisseur. Déposer sur une plaque de cuisson, la partie intérieure vers le haut, et griller au four 2 minutes.

3   Pendant ce temps, trancher la pomme en fines lamelles et émietter le fromage de chèvre. Au besoin, s'il a été préparé à l'avance, réchauffer le poulet 2 minutes au four à micro-ondes.

4   Tartiner tous les pains grillés de moutarde et déposer un morceau de poulet sur la base des pains.

5   Ajouter environ 3 tranches de pommes dans chaque burger. Répartir le fromage de chèvre et les épinards. Refermer en sandwichs et servir.

Cette recette est meilleure préparée à la dernière minute.

VALEUR NUTRITIVE

Calories 514 — Protéines 39 g — Lipides 14 g — Glucides 54 g — Fibres 4 g — Sodium 740 mg

Salade tiède de pommes de terre au poulet grillé

Une salade-repas qui ne se laisse pas intimider par les affamés.

PORTIONS — 4

PRÉPARATION — 20 MIN

INGRÉDIENTS

Jeunes épinards — 1 barquette de 312 g (2,5 L / 10 tasses)

Grelots grillés (voir p. 185) — la recette complète (1 L / 4 tasses)

Poulet au cari et au sirop d'érable (voir p. 59) — la recette complète (2 poitrines)

Concombres libanais — 2

Menthe fraîche — 125 ml (1/2 tasse)

Oignons verts — 2

VINAIGRETTE

Poudre de cari — 15 ml (1 c. à soupe)

Huile d'olive — 30 ml (2 c. à soupe)

Sirop d'érable — 15 ml (1 c. à soupe)

Vinaigre blanc — 15 ml (1 c. à soupe)

Poivre et sel

PRÉPARATION

1 Dans un petit bol, mélanger tous les ingrédients de la vinaigrette. Poivrer généreusement et ajouter une pincée de sel. Réserver.

2 Dans une grande assiette de service, répartir les épinards.

3 Au besoin, s'ils ont été préparés à l'avance, réchauffer les grelots 2 minutes au four à micro-ondes. Déposer sur les épinards.

4 Trancher le poulet et couper les concombres en fines rondelles. Hacher la menthe et les oignons verts. Répartir sur la salade.

5 Verser la vinaigrette et servir.

Se conserve 2 jours au réfrigérateur et ne se congèle pas.

VALEUR NUTRITIVE

Calories 462 — Protéines 33 g — Lipides 17 g — Glucides 44 g — Fibres 8 g — Sodium 380 mg

Quand la mijoteuse travaille pour nous

Vive les congés de souper !

Revenir d'une grosse journée chargée,
entrer dans la maison et sentir les arômes
de la mijoteuse qui a travaillé en notre absence,
quelle immense satisfaction ! On oublie tous
les petits pépins de la journée et on s'attable
sans attendre. Pour vivre ce grand bonheur
(essayez-le et vous verrez que je n'exagère pas),
il suffit de combiner tous les ingrédients
de notre recette dans la mijoteuse la veille
et de ranger le récipient au frigo. Le matin,
on replace le récipient dans la mijoteuse,
on pèse sur le piton et on part travailler.
Simple de même !

Bolognaise végé
↓ à la mijoteuse p. 70

Bolognaise végé à la mijoteuse

C'est la bolo nouvelle génération. Bien de son temps, elle est végé, simple à préparer et aussi réconfortante que la bolognaise de votre enfance. Promis !

DONNE — 4 L (16 TASSES)

PRÉPARATION — 25 MIN

CUISSON — 8 H

INGRÉDIENTS

Lentilles — 1 boîte de 540 ml

Lentilles rouges sèches — 250 ml (1 tasse)

Carottes — 4

Céleri — 4 branches

Oignons — 2

Gousses d'ail — 4

Bouillon de légumes — 1 L (4 tasses)

Tomates en dés avec épices italiennes — 2 boîtes de 796 ml

Coulis de tomates (passata) — 1 bouteille d'environ 675 ml

Pâte de tomates — 1 boîte de 156 ml

Herbes de Provence — 80 ml (1/3 tasse)

Graines de fenouil — 30 ml (2 c. à soupe)

Flocons de piment fort — 2,5 ml (1/2 c. à thé)

Poivre

PRÉPARATION

1 Rincer et égoutter les lentilles en conserve et les lentilles sèches.
2 Couper grossièrement les carottes, le céleri et les oignons. Déposer dans le récipient du robot culinaire, ajouter l'ail et hacher. Au besoin, procéder en 2 étapes pour ne pas surcharger l'appareil.
3 Dans le récipient de la mijoteuse, mélanger tous les ingrédients. Poivrer généreusement. Couvrir et cuire 8 heures à intensité élevée.

Se conserve 5 jours au réfrigérateur ou 3 mois au congélateur.

VALEUR NUTRITIVE (POUR 180 ML / 3/4 TASSE)

Calories 106 — Protéines 6 g — Lipides 1 g — Glucides 20 g — Fibres 4 g — Sodium 360 mg

Poulet effiloché à la salsa à la mijoteuse

Je vous présente la recette la plus simple du livre. Enchantée.

PORTIONS — 8
PRÉPARATION — 10 MIN
CUISSON — 8 H

INGRÉDIENTS

Salsa mexicaine — 1 pot de 430 ml

Pâte de tomates — 1 boîte de 156 ml

Assaisonnement au chili à la mexicaine — 30 ml (2 c. à soupe)

Poitrines de poulet — 4 (environ 1 kg / 2 lb)

PRÉPARATION

1   Dans le récipient de la mijoteuse, mélanger la salsa, la pâte de tomates et l'assaisonnement au chili.

2   Ajouter les poitrines de poulet sans les couper et mélanger pour bien les enrober.

3   Couvrir et cuire 8 heures à faible intensité.

4   À l'aide de 2 fourchettes, effilocher le poulet et mélanger pour bien l'enrober de sauce.

Se conserve 4 jours au réfrigérateur ou 6 mois au congélateur.

NOTE   Utilisez cette recette de base pour garnir vos tacos ou vos fajitas. Vous pouvez aussi servir le poulet simplement sur du riz avec des légumes en accompagnement.

VALEUR NUTRITIVE

Calories 174 — Protéines 29 g — Lipides 2 g — Glucides 8 g — Fibres 3 g — Sodium 463 mg

Poulet effiloché à la salsa
à la mijoteuse p. 71

↑ Bœuf au gingembre
à la mijoteuse p. 76

Bœuf au gingembre à la mijoteuse

Des cubes de bœuf coriaces, mais économiques qui deviennent super tendres
en seulement 15 minutes de préparation : c'est ce qu'on appelle
un retour sur investissement pas mal intéressant !

PORTIONS — 8
PRÉPARATION — 15 MIN
CUISSON — 8 H

INGRÉDIENTS

Gingembre frais — 1 morceau de 5 cm (2 po)

Sauce hoisin (voir p. 237) — 60 ml (1/4 tasse)

Miel — 30 ml (2 c. à soupe)

Vinaigre de riz — 15 ml (1 c. à soupe)

Huile de sésame grillé (voir p. 236) — 5 ml (1 c. à thé)

Cubes de bœuf à ragoût — 2 kg (4 lb)

PRÉPARATION

1   Sans le peler, trancher finement le gingembre.

2   Dans le récipient de la mijoteuse, mélanger tous les ingrédients, sauf le bœuf.

3   Ajouter le bœuf et mélanger pour l'enrober.

4   Couvrir et cuire 8 heures à faible intensité.

Se conserve 4 jours au réfrigérateur ou 4 mois au congélateur.

NOTE   Servir le bœuf et la sauce sur un bol de nouilles asiatiques avec des légumes sautés.

VALEUR NUTRITIVE

Calories 265 — Protéines 25 g — Lipides 14 g — Glucides 9 g — Fibres 0 g — Sodium 179 mg

Poulet au cari thaï à la mijoteuse

Quand les besoins de réconfort et d'exotisme surviennent
en même temps, voici votre plan !

PORTIONS — 10
PRÉPARATION — 15 MIN
CUISSON — 6 H

INGRÉDIENTS

Lait de coco (voir p. 236) — 1 boîte de 398 ml

Poitrines ou hauts de cuisse de poulet désossés et sans peau — 1 kg (2 lb)

Oignon — 1

Pâte de cari rouge thaï (voir p. 237) — 60 ml (1/4 tasse)

Noix de cajou naturelles entières — 250 ml (1 tasse)

Beurre d'arachide naturel — 60 ml (1/4 tasse)

Basilic thaï frais — facultatif

PRÉPARATION

1   Réfrigérer la conserve de lait de coco (voir Note).

2   Couper le poulet en cubes de 2,5 cm (1 po) et hacher l'oignon. Déposer dans le récipient
de la mijoteuse. Ajouter la pâte de cari et les noix. Mélanger.

3   Couvrir et cuire 6 heures à faible intensité.

4   Sans remuer la conserve de lait de coco, à l'aide d'une cuillère, retirer la partie solide
(crème de coco) et déposer dans un petit bol. Ajouter le beurre d'arachide et bien mélanger.

5   Une fois la cuisson du poulet terminée, verser le mélange de crème de coco dans la
mijoteuse et remuer. Servir sur du riz et garnir de basilic thaï, si désiré.

Se conserve 2 jours au réfrigérateur ou 6 mois au congélateur.

NOTE   Comme nous n'utilisons que la crème de coco dans la recette, la partie solide sera plus
facile à séparer de l'eau de coco si la conserve a été réfrigérée (voir étape 4). Vous pouvez utiliser
l'eau de coco pour remplacer une partie de l'eau pour cuire du riz.

VALEUR NUTRITIVE

Calories 300 — Protéines 26 g — Lipides 18 g — Glucides 9 g — Fibres 1 g — Sodium 158 mg

↑ Poulet au cari thaï
à la mijoteuse p. 77

Pour profiter de la mijoteuse

À qui le tour de préparer le souper ? Ce soir, c'est au tour de la mijoteuse !
Voici 5 trucs pour l'utiliser à son plein potentiel.

CHOISISSEZ BIEN VOTRE RECETTE Des pâtes ou du riz, c'est déjà rapide à cuire. J'ai testé et je trouve qu'on se complique la vie en les préparant à la mijoteuse. Et bonne chance pour obtenir la bonne cuisson ! Allô, le riz éclaté et les pâtes molles et gonflées ! Optez plutôt pour des recettes de plats en sauce ou des mijotés. Les légumineuses et les viandes se prêtent super bien au jeu. Profitez-en d'ailleurs pour choisir des coupes de viande plus économiques, comme le rôti d'épaule de porc picnic ou le rôti de palette.

DITES NON À L'IMPROVISATION Tenté par l'idée d'inventer une nouvelle recette ? Je vous le dis, ça en prend des essais pour réussir à bien calibrer une recette à la mijoteuse ! Alors, pour éviter que votre repas se retrouve à la poubelle, c'est plus sage de suivre une recette déjà testée.

LAISSEZ LE COUVERCLE FERMÉ Je le sais, c'est tentant d'aller voir ce qui se passe sous le couvercle. Retenez-vous. Quand vous l'ouvrez, la mijoteuse perd beaucoup de chaleur et c'est long avant qu'elle revienne à la bonne température pour poursuivre la cuisson.

CE N'EST PAS NÉCESSAIRE DE REMUER Ça tombe bien, on ne doit pas ouvrir le couvercle ! En fait, grâce à la cuisson lente et aux éléments chauffants qui se trouvent tout autour du récipient, et non en dessous, il y a moins de risque que ça colle. Vous pourrez brasser seulement à la toute fin de la cuisson pour bien lier la sauce et répartir les ingrédients. Laissez la mijoteuse faire son travail toute seule, comme une grande !

ADAPTEZ VOTRE RECETTE Si vous voulez passer du four à la mijoteuse, la clé, c'est d'ajuster la quantité de liquide. Contrairement à la cuisson au four, celui-ci ne s'évapore pas à la mijoteuse. En règle générale, on diminue d'environ la moitié la quantité de liquide prévue pour le four. Pour la cuisson, 8 heures à faible intensité conviennent à la majorité des recettes de braisés ou de mijotés.

Et finalement, mon truc préféré, c'est de bien profiter du temps que la mijoteuse nous permet de gagner !

Ce soir, on mange des toasts !

Et ce ne sera pas un plan B !

Des toasts pour souper ? Oh oui ! Et il n'y a rien de plate ici. Manger des toasts n'aura jamais été aussi excitant ! Je ne parle pas des toasts de dernier recours quand le niveau d'énergie et le frigo sont à zéro. Je parle de toasts gourmandes et élégantes, qui brisent la routine et mettent de la couleur dans votre soirée. Presque aussi rapide à préparer qu'une toast au beurre de *pinottes*, mais hautement plus inspirante. De quoi rivaliser avec tous les jolis bistros de quartier !

Toasts aux tomates et au prosciutto

Levons notre verre (ou plutôt, portons un toast)
à cette soirée pas compliquée !

PORTIONS — 4
PRÉPARATION — 10 MIN
CUISSON — 4 MIN

INGRÉDIENTS

Pain, au choix — 8 tranches

Tomates — 2

Fromage ricotta — 250 ml (1 tasse)

Prosciutto — 8 tranches (environ 125 g / 4 oz)

Basilic frais — 60 ml (1/4 tasse)

Huile d'olive

Poivre du moulin

PRÉPARATION

1   Préchauffer le four à gril (*broil*). Placer la grille au centre du four.

2   Déposer les tranches de pain sur une plaque de cuisson. Dorer sous le gril (*broil*)
    2 minutes de chaque côté.

3   Pendant ce temps, trancher les tomates.

4   Tartiner chaque tranche de pain de 30 ml (2 c. à soupe) de ricotta. Répartir les tranches
    de tomates sur les pains.

5   Garnir chaque toast d'une tranche de prosciutto, de feuilles de basilic, d'un filet d'huile
    d'olive et de poivre concassé. Servir.

Cette recette est meilleure préparée à la dernière minute.

VALEUR NUTRITIVE

Calories 352 — Protéines 18 g — Lipides 15 g — Glucides 36 g — Fibres 3 g — Sodium 880 mg

Toasts à l'avocat et au crabe

Préchauffer le four à gril (*broil*). Placer la grille au centre du four. Déposer 8 tranches de pain sur une plaque de cuisson. Griller au four 2 minutes de chaque côté. Pendant ce temps, dans un bol moyen, piler 2 avocats à la fourchette. Presser 1/2 citron au-dessus du bol. Égoutter 2 boîtes de 120 g de crabe et hacher 2 oignons verts. Tartiner chaque tranche de pain grillé de purée d'avocat. Répartir le crabe et saupoudrer de paprika fumé (voir p. 237). Garnir d'oignons verts et de poivre concassé. Servir.

Donne 4 portions.
Cette recette est meilleure préparée
à la dernière minute.

Toasts aux œufs et aux épinards

Porter une grande casserole d'eau à ébullition à feu vif. Réduire à feu moyen-vif et déposer 8 œufs dans l'eau. Cuire 6 minutes et plonger les œufs dans un bol d'eau glacée 2 minutes. Préchauffer le four à gril (*broil*). Placer la grille au centre du four. Déposer 8 tranches de pain sur une plaque de cuisson. Griller au four 2 minutes de chaque côté. Trancher finement l'échalote française. Répartir 500 ml (2 tasses) de jeunes épinards sur les toasts. Déposer 1 œuf écalé sur chaque toast et couper pour laisser le jaune couler. Garnir les toasts de copeaux de fromage cheddar, d'échalote française, de poivre concassé et d'une pincée de fleur de sel. Servir.

Donne 4 portions.
Cette recette est meilleure préparée
à la dernière minute.

Toasts au thon et au fromage de chèvre

Préchauffer le four à gril (*broil*). Placer la grille au centre du four. Déposer 8 tranches de pain sur une plaque de cuisson. Dorer au four 2 minutes de chaque côté. Sur les toasts, répartir 250 ml (1 tasse) d'aubergines grillées marinées égouttées, 250 ml (1 tasse) de poivrons grillés marinés égouttés et 1 boîte de 170 g de thon pâle émietté dans l'eau, égoutté. Émietter 1 paquet de 125 g de fromage de chèvre non affiné à pâte molle sur les toasts. Dorer au four 1 ou 2 minutes. Garnir d'un filet d'huile d'olive et de thym frais. Servir.

Donne 4 portions.
Cette recette est meilleure préparée
à la dernière minute.

←

Toasts aux crevettes nordiques et à l'aneth

Préchauffer le four à gril (*broil*). Placer la grille au centre du four. Déposer 8 tranches de pain sur une plaque de cuisson. Griller au four 2 minutes de chaque côté. Trancher finement 2 radis et 2 concombres libanais sur la longueur. Sur chaque toast, déposer 1 feuille de laitue Boston et 30 ml (2 c. à soupe) de yogourt grec nature. Répartir les radis et les concombres. Garnir chaque toast de 30 ml (2 c. à soupe) de crevettes nordiques surgelées et décongelées, d'aneth frais et de poivre concassé. Servir.

Donne 4 portions.
Cette recette est meilleure préparée
à la dernière minute.

→

Les soupes-repas

Bonnes jusqu'à la dernière louche

Des combinaisons classiques aux plus surprenantes, laissez ces soupes-repas express vous réconforter. Beaucoup plus satisfaisantes qu'une soupe en canne, et à peine plus longues à préparer, promis. Pas besoin de les laisser mijoter pendant des heures ! C'est le meilleur remède lorsque le mercure chute, lorsqu'on change d'heure et qu'il fait gris le matin et noir dès le milieu de l'après-midi !

Soupe à la courge, aux épinards et aux haricots blancs

Des ingrédients surprenants, un résultat réconfortant :
voici votre nouvelle soupe préférée !

PORTIONS — 4

PRÉPARATION — 15 MIN

CUISSON — 40 MIN

INGRÉDIENTS

Bouillon de légumes sans sel ajouté — 2 L (8 tasses)

Orge perlé (voir p. 237) — 125 ml (1/2 tasse)

Courge surgelée en cubes — 500 ml (2 tasses)

Haricots blancs — 1 boîte de 540 ml

Fromage parmesan — 30 g (1 oz) ou 60 ml (1/4 tasse) râpé

Jeunes épinards — 500 ml (2 tasses)

Poivre et sel

PRÉPARATION

1 Dans une grande casserole, porter le bouillon à ébullition à feu vif.

2 À l'aide d'un tamis, rincer l'orge sous l'eau froide et égoutter.

3 Réduire à feu moyen-doux, ajouter l'orge au bouillon et cuire 30 minutes ou jusqu'à ce que l'orge soit tendre. Ajouter la courge 5 minutes avant la fin de la cuisson de l'orge.

4 Pendant ce temps, rincer et égoutter les haricots. À l'aide d'une râpe fine (de type Microplane), râper le parmesan.

5 Ajouter les haricots et les épinards dans la casserole. Poursuivre la cuisson 2 minutes. Poivrer généreusement et ajouter une pincée de sel. Goûter et ajuster l'assaisonnement au besoin.

6 Répartir la soupe dans 4 bols et garnir de parmesan. Servir avec du pain.

Se conserve 3 jours au réfrigérateur et ne se congèle pas.

VALEUR NUTRITIVE

Calories 241 — Protéines 10 g — Lipides 2 g — Glucides 48 g — Fibres 8 g — Sodium 224 mg

Soupe tomatée
aux légumineuses
←

Soupe poulet et nouilles
→

↑ Soupe minestrone

Soupe asiatique
aux crevettes nordiques
et aux champignons enoki

→

Soupe tomatée aux légumineuses

Dans une grande casserole, à feu vif, porter à ébullition 2 L (8 tasses) de bouillon de légumes sans sel ajouté. Ajouter 1 boîte de 540 ml de légumineuses mélangées rincées et égouttées, 1 boîte de 796 ml de tomates en dés, 500 ml (2 tasses) de kale (chou frisé, voir p. 236) émincé et une pincée de flocons de piment fort. Poivrer généreusement. Réduire à feu moyen-vif et cuire 10 minutes ou jusqu'à ce que le kale soit tendre. Goûter et ajuster l'assaisonnement au besoin.

Donne 4 portions.

Soupe minestrone

Dans une grande casserole, à feu vif, porter à ébullition 2 L (8 tasses) de bouillon de légumes sans sel ajouté. Ajouter 500 ml (2 tasses) de mélange de légumes surgelés pour sauce à spaghetti et 375 ml (1 1/2 tasse) de petites nouilles au choix. Réduire à feu moyen-vif et cuire de 8 à 10 minutes selon la taille des nouilles. Ajouter 1 boîte de 540 ml de haricots rouges rincés et égouttés. Poursuivre la cuisson 2 ou 3 minutes pour réchauffer les haricots. Poivrer généreusement. Goûter et ajuster l'assaisonnement au besoin. Garnir de basilic frais et de copeaux de parmesan.

Donne 4 portions.

Soupe poulet et nouilles

Dans une grande casserole, à feu vif, porter à ébullition 2 L (8 tasses) de bouillon de poulet sans sel ajouté. Ajouter 375 ml (1 1/2 tasse) de nouilles aux œufs larges, 375 ml (1 1/2 tasse) d'un reste de poulet cuit effiloché, 2 carottes tranchées finement et 1 branche de céleri tranchée. Cuire 15 minutes ou jusqu'à ce que les nouilles et les carottes soient cuites. Goûter et ajuster l'assaisonnement au besoin.

Donne 4 portions.

Soupe asiatique aux crevettes nordiques et aux champignons enoki

Dans une grande casserole, à feu vif, porter à ébullition 2 L (8 tasses) de bouillon de poulet sans sel ajouté. Ajouter 450 g (1 lb) de crevettes nordiques surgelées, rincées et égouttées, 1 paquet de 300 g de nouilles de riz, 1 poivron rouge coupé en lanières, 1 paquet de 100 g de champignons enoki et 15 ml (1 c. à soupe) de sauce de poisson (voir p. 237). Cuire 5 minutes ou jusqu'à ce que les nouilles soient tendres. Goûter et ajuster l'assaisonnement au besoin. Garnir de quartiers de lime, d'oignons verts hachés et de sauce piquante sriracha, si désiré.

Donne 4 portions.

Ces soupes se conservent 3 jours au réfrigérateur et ne se congèlent pas.

Pour partager les tâches

Une famille, c'est une équipe. Pour qu'elle soit gagnante, chacun doit s'impliquer. Pour se rendre au fil d'arrivée triomphant plutôt qu'au bout du rouleau, le coach vous dirait que ça commence par le partage des tâches, selon les capacités de chacun. Voici donc ma stratégie en 5 points.

PLANIFIER C'est la solution pour ne pas avoir l'impression de manger toujours la même chose. En famille, en couple ou entre colocs, prenez un petit moment pendant le week-end pour discuter de ce que chacun a envie. Quelques minutes suffisent ! Vérifiez les spéciaux, suivez les aliments de saison, consultez les livres de recettes ou fouillez sur le Web. Toutes les ressources sont bonnes pour ajouter de la variété au train-train quotidien.

PRÉVOIR LES COURSES Pour éviter d'être à la course préparez une liste en regroupant les aliments selon leur emplacement dans l'épicerie. Consultez votre gang en lui demandant de nouvelles idées. Sur le pilote automatique, on a souvent tendance à acheter les mêmes choses. Les tout-petits peuvent encercler les aliments intrigants sur la circulaire. Les plus grands peuvent choisir une recette qu'ils ont envie d'essayer et prévoir les ingrédients nécessaires. Au retour de l'épicerie, on a toujours besoin de bras pour rentrer les sacs, trier les aliments qui vont au garde-manger, au frigo ou au congélo. Tout se règle rapidement si tout le monde participe !

DÉLÉGUER C'est plus rapide quand c'est vous qui le faites ? Peut-être, mais c'est quand même vous qui le faites ! Demandez de l'aide et acceptez que ce ne soit pas fait aussi rapidement ni aussi parfaitement. Les quelques minutes investies à enseigner des tâches aux enfants seront très payantes avec le temps. C'est en se sentant valorisés dans une tâche qu'ils auront envie de la répéter. Pour un vrai coup de main, donnez-leur la chance d'exprimer leur créativité, de faire des essais et des expériences. Ce ne sera pas toujours des réussites, je vous préviens. Mais c'est en cuisinant qu'on apprend à cuisiner !

À CHAQUE ÂGE SA TÂCHE Un petit de 2 ans peut très bien déchiqueter la laitue, tandis que celui de 5 ans peut touiller la salade. L'ado, lui, peut concocter la vinaigrette. Pendant que vous préparez les légumes, un enfant peut être commis au compost et s'occuper de débarrasser les épluchures. Un autre peut garnir les assiettes et demander à son frère ou à sa sœur de les placer sur la table. Ce sont là de très simples et très petites tâches, mais qui s'additionnent et vous libèrent réellement. Et pourquoi ne pas donner à votre grand la responsabilité de préparer un repas par semaine, au retour de l'école ?

APRÈS LE REPAS Pourquoi ce serait toujours à la même personne de desservir la table ? Chacun vide ses restes dans le compost et place sa vaisselle au lave-vaisselle. On veille à ce que quelqu'un soit responsable de mettre les surplus dans un contenant hermétique, de ranger les condiments au frigo et de nettoyer la table.

En partageant toutes ces tâches entre plusieurs mains, vous verrez, vous aurez un bonus de temps libre dans votre soirée pour être ensemble, jouer à un jeu de société, faire une petite promenade dans le quartier ou vous reposer, tout simplement !

Le poisson
à la rescousse

Pour vous aider à garder la tête hors de l'eau !

On oublie à quel point le poisson est pratique
et rapide à cuisiner. Quelques minutes
de cuisson et c'est réglé. On serait fou de s'en
passer ! Que vous soyez un amateur assumé ou
plutôt réservé, je vous propose des idées pour
cuisiner le poisson de toutes les façons. Truite,
morue, aiglefin, saumon... frais ou surgelé, avec
cette variété de recettes vite préparées, vous
serez heureux comme un poisson dans l'eau !

Burger à la truite grillée

Inutile d'aller pêcher plus loin, ce simple filet surpasse toutes les galettes.

PORTIONS — 4
PRÉPARATION — 15 MIN
CUISSON — 12 MIN

INGRÉDIENTS

Filet de truite issue de la pêche durable — 450 g (1 lb)

Huile d'olive — 10 ml (2 c. à thé)

Poivre et sel

Citron — 1/2

Pains à hamburger — 4

Mayo épicée (voir p. 169) — 60 ml (1/4 tasse)

Laitue Boston — 8 feuilles

Aneth frais — au goût

PRÉPARATION

1   Couper le filet de truite en 4 morceaux égaux.

2   Dans un poêlon antiadhésif, chauffer l'huile à feu moyen-vif. Cuire le poisson
de 3 à 5 minutes, côté peau vers le bas. Poivrer généreusement et ajouter une pincée de sel.

3   Retourner le poisson et poursuivre la cuisson de 3 à 5 minutes. Le temps de cuisson varie
selon l'épaisseur du poisson. Pendant la cuisson du deuxième côté, retirer la peau.
Presser le demi-citron directement au-dessus du poisson.

4   Préchauffer le four à gril (*broil*). Placer la grille au centre du four.

5   Couper les pains en deux sur l'épaisseur, déposer sur une plaque de cuisson la partie
intérieure vers le haut et griller au four 2 minutes.

6   Tartiner la mayo épicée sur la base des pains grillés, déposer un morceau de truite,
la laitue et l'aneth. Refermer en sandwichs et servir.

Cette recette est meilleure assemblée à la dernière minute, mais le poisson cuit se conserve
2 jours au réfrigérateur ou 2 mois au congélateur.

VALEUR NUTRITIVE

Calories 346 — Protéines 27 g — Lipides 16 g — Glucides 22 g — Fibres 1 g — Sodium 368 mg

Morue façon *Shake 'n Bake*

Shaker, cuire et déguster. Difficile de faire moins compliqué !

PORTIONS — 4
PRÉPARATION — 15 MIN
CUISSON — 15 MIN

INGRÉDIENTS

Poudre d'amandes — 60 ml (1/4 tasse)

Chapelure panko (voir p. 236) — 60 ml (1/4 tasse)

Origan séché — 2,5 ml (1/2 c. à thé)

Paprika fumé (voir p. 237) — 1 ml (1/4 c. à thé)

Morue issue de la pêche durable — 450 g (1 lb)

PRÉPARATION

1   Préchauffer le four à 200 °C (400 °F). Placer la grille au centre du four. Tapisser une plaque de cuisson de papier parchemin (ou d'une feuille de cuisson réutilisable).

2   Dans un contenant hermétique, mélanger tous les ingrédients, sauf le poisson.

3   Couper la morue en cubes d'environ 2,5 cm (1 po). Déposer dans le contenant, fermer le couvercle et agiter pour bien enrober.

4   Répartir les morceaux de poisson sur la plaque de cuisson et cuire au four 12 minutes.

5   Terminer la cuisson sous le gril (*broil*) 2 ou 3 minutes ou jusqu'à ce que la panure soit dorée. Servir avec du riz et des légumes.

Cette recette est meilleure préparée à la dernière minute.

VALEUR NUTRITIVE

Calories 163 — Protéines 26 g — Lipides 4 g — Glucides 5 g — Fibres 1 g — Sodium 100 mg

Aiglefin en sauce aux poivrons grillés

Un peu plus de pain pour finir la sauce ou un peu plus de sauce pour finir le pain ?

PORTIONS — 6
PRÉPARATION — 15 MIN
CUISSON — 25 MIN

INGRÉDIENTS

Oignon — 1

Tomates en dés sans sel ajouté — 1 boîte de 796 ml

Poivrons rouges grillés marinés — 250 ml (1 tasse)

Huile d'olive — 15 ml (1 c. à soupe)

Gousses d'ail — 2

Paprika fumé (voir p. 237) — 15 ml (1 c. à soupe)

Crème 35 % m.g. — 125 ml (1/2 tasse)

Poivre

Filet d'aiglefin surgelé, issu de la pêche durable — 800 g (1 3/4 lb)

Thym ou origan frais — au goût

PRÉPARATION

1   Hacher finement l'oignon. Égoutter les tomates et les poivrons.

2   Dans une grande casserole préchauffée à feu moyen-vif, verser l'huile. Ajouter l'oignon et cuire 5 minutes en remuant à quelques reprises.

3   Pendant ce temps, dans le récipient du pied-mélangeur ou du mélangeur électrique (*blender*), déposer les tomates, les poivrons, l'ail et le paprika. Réduire en purée grossière.

4   Verser la crème et le mélange de tomates et de poivrons dans la casserole. Porter à ébullition, réduire à feu moyen et laisser mijoter 5 minutes. Bien mélanger et poivrer généreusement.

5   Déposer le poisson surgelé dans la sauce et laisser mijoter 15 minutes. Garnir de thym ou d'origan frais. Servir avec une baguette de pain.

Se conserve 3 jours au réfrigérateur et ne se congèle pas.

VALEUR NUTRITIVE

Calories 274 — Protéines 27 g — Lipides 12 g — Glucides 14 g — Fibres 3 g — Sodium 352 mg

Morue poêlée et salsa de mangue

Le nouveau bistro branché, c'est chez vous.

PORTIONS — 4

PRÉPARATION — 15 MIN

CUISSON — 15 MIN

INGRÉDIENTS

Mangue surgelée — 500 ml (2 tasses)

Limes — 2

Cassonade — 45 ml (3 c. à soupe)

Sauce de poisson (voir p. 237) — 15 ml (1 c. à soupe)

Flocons de piment fort — 1 ml (1/4 c. à thé)

Échalote française — 1

Coriandre fraîche — 30 ml (2 c. à soupe)

Morue issue de la pêche durable — 675 g (1 1/2 lb)

Huile d'olive — 30 ml (2 c. à soupe)

PRÉPARATION

1 Sans les décongeler, couper les mangues en petits dés.
2 Dans un bol moyen allant au four à micro-ondes, presser les limes. Ajouter la cassonade, la sauce de poisson et les flocons de piment fort. Mélanger.
3 Chauffer au four à micro-ondes environ 30 secondes pour dissoudre la cassonade. Ajouter les dés de mangue dans la sauce chaude et mélanger.
4 Trancher finement l'échalote française et hacher la coriandre. Incorporer à la salsa de mangue.
5 À l'aide d'un linge de cuisine propre, éponger le poisson et couper en 4 morceaux égaux.
6 Dans un poêlon antiadhésif, chauffer l'huile à feu vif. Cuire la morue de 5 à 7 minutes de chaque côté. Le temps de cuisson varie selon l'épaisseur du poisson. Pour obtenir une belle croûte dorée, éviter de le manipuler pendant la cuisson.
7 Déposer le poisson dans une assiette de service et garnir de salsa de mangue. Servir avec du riz et un légume vert.

Cette recette est meilleure préparée à la dernière minute, mais se conserve 3 jours au réfrigérateur.

VALEUR NUTRITIVE

Calories 320 — Protéines 37 g — Lipides 8 g — Glucides 25 g — Fibres 1 g — Sodium 412 mg

Spaghetti au thon et aux câpres

Un spag à valeur ajoutée : facile à cuisiner, encore plus facile à adopter.

PORTIONS — 6
PRÉPARATION — 20 MIN
CUISSON — 25 MIN

INGRÉDIENTS

Spaghettis — 450 g (1 lb)

Oignon — 1

Gousse d'ail — 1

Câpres — 45 ml (3 c. à soupe)

Thon pâle en morceaux dans l'eau — 1 boîte de 170 g

Huile d'olive — 5 ml (1 c. à thé)

Tomates broyées — 1 boîte de 796 ml

Mozzarella fraîche — environ 125 g (4 oz)

Basilic frais — 125 ml (1/2 tasse)

Poivre du moulin

PRÉPARATION

1   Porter une grande casserole d'eau à ébullition. Cuire les pâtes selon les indications sur l'emballage. Égoutter et réserver.
2   Pendant ce temps, hacher finement l'oignon, l'ail et les câpres. Égoutter le thon.
3   Dans un grand poêlon antiadhésif, chauffer l'huile à feu moyen. Cuire l'oignon 5 minutes en remuant à quelques reprises.
4   Ajouter l'ail, les câpres, le thon et les tomates. Laisser mijoter 5 minutes en remuant à quelques reprises.
5   Déposer les pâtes cuites dans le poêlon et mélanger pour bien les enrober.
6   Déchirer la mozzarella directement au-dessus des pâtes. Garnir de basilic frais, de poivre concassé et d'un filet d'huile d'olive.
7   Servir dans le poêlon, au centre de la table.

Se conserve 3 jours au réfrigérateur ou 3 mois au congélateur.

VALEUR NUTRITIVE

Calories 433 — Protéines 20 g — Lipides 9 g — Glucides 69 g — Fibres 6 g — Sodium 532 mg

Papillote de poisson
↓ citronné p. 113

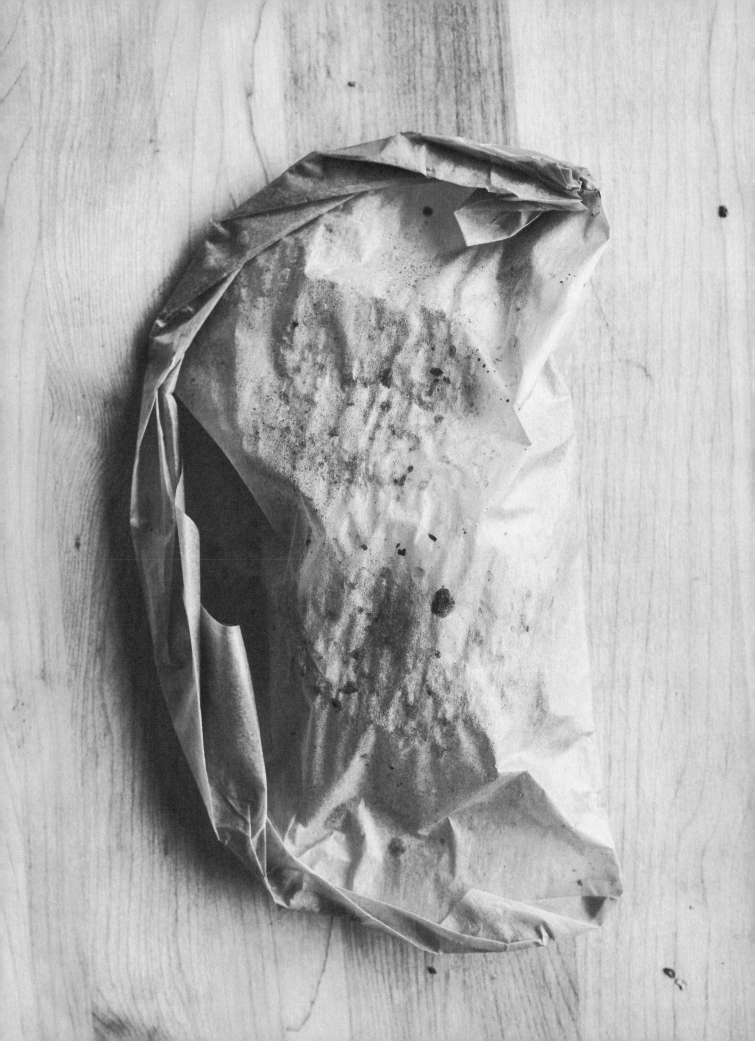

Papillote de poisson citronné

Ce soir, congé de vaisselle. Vive les soirées papillotes !

PORTIONS — 4
PRÉPARATION — 15 MIN
CUISSON — 10 MIN

INGRÉDIENTS

Asperges — 450 g (1 lb)

Citron — 1

Filet de poisson blanc issu de la pêche durable (voir Note) — 600 g (1 1/3 lb)

Assaisonnement cajun — 10 ml (2 c. à thé), divisé

Huile d'olive — 20 ml (4 c. à thé)

Poivre et sel

PRÉPARATION

1   Préchauffer le four à 220 °C (425 °F). Placer la grille au centre du four.

2   Retirer le bout coriace des asperges et trancher finement le citron. Couper le poisson
en 4 morceaux égaux.

3   Tailler 4 morceaux de papier parchemin d'environ 30 cm x 25 cm (12 po x 10 po) chacun.

4   Répartir les asperges au centre de chaque papier parchemin. Ajouter un morceau de poisson
dans chaque papillote, sur les asperges. Répartir 5 ml (1 c. à thé) d'assaisonnement cajun
sur les morceaux de poisson. Déposer les tranches de citron sur le poisson, verser
5 ml (1 c. à thé) d'huile par papillote et saupoudrer le reste d'assaisonnement cajun.
Poivrer généreusement et ajouter une pincée de sel.

5   Plier le papier en deux et replier fermement les bords de façon à former une demi-lune
hermétique (voir p. 111). La chaleur et la vapeur ne doivent pas s'échapper de la papillote
pendant la cuisson. Déposer les papillotes sur une plaque de cuisson.

6   Cuire au four 10 minutes ou jusqu'à ce que la chair du poisson se détache facilement
à la fourchette.

7   Transférer les papillotes dans des assiettes et servir avec du pain frais.

Se conserve 3 jours au réfrigérateur et ne se congèle pas.

NOTE   La morue, la sole, le flétan ou l'aiglefin conviennent parfaitement à cette recette.

VALEUR NUTRITIVE

Calories 206 — Protéines 31 g — Lipides 7 g — Glucides 6 g — Fibres 3 g — Sodium 333 mg

Soupe thaïe au poisson

Ne vous laissez pas impressionner par le mot « thaï »,
tous les ingrédients se trouvent à l'épicerie du coin.

PORTIONS — 6
PRÉPARATION — 20 MIN
CUISSON — 25 MIN

INGRÉDIENTS

Riz basmati — 375 ml (1 1/2 tasse)

Eau — 750 ml (3 tasses)

Bouillon de poulet réduit en sodium — 1 L (4 tasses)

Lait de coco léger (voir p. 236) — 1 boîte de 398 ml

Pâte de tomates — 1 boîte de 156 ml

Pâte de cari rouge thaï (voir p. 237) — 30 ml (2 c. à soupe)

Filet de poisson blanc surgelé, issu de la pêche durable (voir Note p. 113) — 675 g (1 1/2 lb)

Coriandre fraîche — 250 ml (1 tasse)

Lime — 1

Jeunes épinards — 500 ml (2 tasses)

PRÉPARATION

1 À l'aide d'un tamis, rincer le riz sous l'eau froide et égoutter.

2 Déposer le riz et l'eau dans une casserole moyenne et porter à ébullition à feu vif.
   Réduire à feu moyen-doux, couvrir et cuire 15 minutes. Retirer du feu et laisser reposer
   5 minutes à couvert.

3 Dans une grande casserole, verser le bouillon, le lait de coco, la pâte de tomates
   et la pâte de cari. Porter à ébullition à feu vif.

4 Réduire à feu moyen-vif et ajouter le poisson surgelé. Cuire 5 minutes.

5 Hacher la coriandre et couper la lime en quartiers.

6 Répartir le riz cuit et les épinards dans 6 bols.

7 Verser le bouillon sur le riz et répartir le poisson dans les bols.

8 Garnir de coriandre et d'un quartier de lime. Servir.

Se conserve 3 jours au réfrigérateur et ne se congèle pas.

VALEUR NUTRITIVE

Calories 360 — Protéines 28 g — Lipides 6 g — Glucides 47 g — Fibres 2 g — Sodium 606 mg

Croquettes de thon à l'indienne

La croquette qui a voyagé et qui en a long à raconter.

PORTIONS — 4

PRÉPARATION — 20 MIN

CUISSON — 40 MIN

INGRÉDIENTS

Pommes de terre grelots — 675 g (1 1/2 lb)

Thon pâle en morceaux dans l'eau — 2 boîtes de 170 g

Ciboulette fraîche — 30 ml (2 c. à soupe)

Œuf — 1

Poudre de cari — 30 ml (2 c. à soupe)

Poivre et sel

Huile d'olive — 15 ml (1 c. à soupe), divisée

PRÉPARATION

1 Couper les pommes de terre en deux. Déposer dans une casserole moyenne et couvrir d'eau. Porter à ébullition à feu vif. Réduire à feu moyen-vif. Cuire 15 minutes ou jusqu'à ce que la pointe d'un couteau s'insère facilement dans la chair. Égoutter et rincer à l'eau froide pour tiédir.

2 Pendant ce temps, égoutter le thon et hacher la ciboulette.

3 Remettre les grelots dans la casserole et piler grossièrement à l'aide d'un pilon à pommes de terre. Ajouter le thon, la ciboulette, l'œuf et la poudre de cari. Mélanger. Poivrer généreusement et ajouter une pincée de sel.

4 Avec les mains, façonner 8 croquettes en pressant bien le mélange.

5 Dans un grand poêlon antiadhésif, chauffer 7,5 ml (1/2 c. à soupe) d'huile à feu moyen-vif. À l'aide d'un pinceau de cuisine, répartir l'huile dans le poêlon. Sans les manipuler, cuire la moitié des croquettes 5 minutes de chaque côté ou jusqu'à ce qu'elles soient bien dorées.

6 Répéter la cuisson avec le reste de l'huile et les 4 autres croquettes.

7 Servir avec une salade verte.

Se conserve 2 jours au réfrigérateur ou 2 mois au congélateur.

VALEUR NUTRITIVE

Calories 246 — Protéines 18 g — Lipides 6 g — Glucides 30 g — Fibres 5 g — Sodium 205 mg

L'ingrédient dépanneur

Voici mes trois indispensables à avoir en tout temps !

Oups ! La journée a filé et vous n'avez pas eu une seconde pour réfléchir au souper ? Vous n'avez pas de raison de paniquer s'il vous reste des œufs dans le frigo, du porc haché dans le congélo ou une boîte de légumineuses dans le garde-manger. Ces trois ingrédients polyvalents sauveront vos soirées pressées. Vous éviterez les arrêts de dernière minute à l'épicerie et surtout, la longue file d'attente pour payer. Vous aurez tout ce qu'il faut pour vous débrouiller et, en quelques minutes, le repas sera réglé.

Frittata au saumon, au feta et à l'aneth

Matin, midi ou soir ? C'est à votre guise. Quant à moi, toujours prête pour une frittata.

PORTIONS — 8
PRÉPARATION — 15 MIN
CUISSON — 15 MIN

INGRÉDIENTS

Œufs — 8

Lait — 60 ml (1/4 tasse)

Poivre et sel

Saumon sans la peau et les arêtes — 2 boîtes de 170 g

Fromage feta — 1 contenant de 200 g

Huile d'olive — 7,5 ml (1/2 c. à soupe)

Aneth frais — 250 ml (1 tasse)

PRÉPARATION

1 Dans un bol moyen, fouetter les œufs et le lait. Poivrer généreusement et ajouter une pincée de sel.

2 Égoutter le saumon et le feta. Remplir le contenant de fromage d'eau et laisser tremper le feta 5 minutes. Égoutter et répéter.

3 Pendant ce temps, dans un poêlon en fonte (voir Note), chauffer l'huile à feu moyen. Verser le mélange d'œufs et incorporer le saumon. Cuire 10 minutes en remuant de temps en temps pour obtenir une cuisson uniforme.

4 Préchauffer le four à gril (*broil*). Placer la grille au centre du four.

5 Lorsque les œufs sont presque complètement figés, égoutter le feta et émietter directement sur la frittata.

6 Terminer la cuisson sous le gril (*broil*) 5 minutes ou jusqu'à ce que le fromage commence à dorer.

7 Pendant ce temps, hacher l'aneth.

8 À la sortie du four, garnir la frittata d'aneth et déposer au centre de la table. Servir avec du pain frais.

Se conserve 2 jours au réfrigérateur et ne se congèle pas.

NOTE Si vous n'avez pas de poêlon en fonte, utilisez un poêlon régulier sans revêtement antiadhésif et recouvrez la poignée de papier d'aluminiun pour la protéger avant de mettre le poêlon au four.

VALEUR NUTRITIVE

Calories 196 — Protéines 19 g — Lipides 13 g — Glucides 1 g — Fibres 0 g — Sodium 612 mg

Strata à la courge et au kale

Qui est-ce qui débarque à la maison ? C'est Strata, la cousine de Lorraine, la quiche.
Et elle est pas mal plus flyée !

PORTIONS — 6

PRÉPARATION — 20 MIN

CUISSON — 35 MIN

REPOS — 5 MIN

INGRÉDIENTS

Oignon — 1

Courge surgelée en cubes — 500 ml (2 tasses)

Huile d'olive — 15 ml (1 c. à soupe)

Poivre et sel

Pain (voir Note) — 6 tranches

Kale (chou frisé, voir p. 236) — 500 ml (2 tasses)

Fromage mozzarella — 125 g (4 oz) ou 250 ml (1 tasse) râpé

Œufs — 8

Lait — 250 ml (1 tasse)

Herbes de Provence — 15 ml (1 c. à soupe)

PRÉPARATION

1 Préchauffer le four à 230 °C (450 °F). Placer la grille au centre du four.

2 Hacher l'oignon.

3 Dans un plat de 23 cm x 33 cm (9 po x 13 po) allant au four, mélanger l'oignon, la courge surgelée et l'huile. Poivrer généreusement et ajouter une pincée de sel. Cuire au four 15 minutes.

4 Pendant ce temps, couper le pain en cubes. Trancher finement le kale et râper le fromage.

5 Ajouter le pain au mélange de courge et poursuivre la cuisson 5 minutes.

6 Dans un bol moyen, fouetter les œufs, le lait, le fromage et les herbes de Provence. Poivrer généreusement et ajouter une pincée de sel. Verser dans le plat de cuisson et incorporer le kale.

7 Cuire au four 15 minutes. À la sortie du four, laisser reposer 5 minutes avant de couper.

Cette recette est meilleure préparée à la dernière minute.

NOTE C'est le moment de passer vos restants de pain. Que ce soit de la baguette, du pain tranché ou de la miche, combinez différentes variétés pour obtenir l'équivalent de 1,5 L (6 tasses) de cubes de pain.

VALEUR NUTRITIVE

Calories 325 — Protéines 19 g — Lipides 16 g — Glucides 29 g — Fibres 4 g — Sodium 456 mg

Chakchouka

Chic, une chakchouka pour chouper.

PORTIONS — 4
PRÉPARATION — 20 MIN
CUISSON — 24 MIN

INGRÉDIENTS

Oignon — 1

Huile d'olive — 5 ml (1 c. à thé)

Tomates entières — 1 boîte de 796 ml

Pâte de tomates — 1 boîte de 156 ml

Paprika fumé (voir p. 237) — 10 ml (2 c. à thé)

Cumin moulu — 5 ml (1 c. à thé)

Sucre — 5 ml (1 c. à thé)

Poivre

Œufs — 8

Fromage feta — 90 g (3 oz) ou 125 ml (1/2 tasse) émietté

Coriandre fraîche — 60 ml (1/4 tasse)

PRÉPARATION

1. Hacher l'oignon.
2. Dans un grand poêlon antiadhésif, chauffer l'huile à feu moyen. Cuire l'oignon 3 ou 4 minutes pour l'attendrir.
3. Sans les égoutter, ajouter les tomates entières et la pâte de tomates. À l'aide d'un pilon à pommes de terre, piler grossièrement les tomates et mélanger.
4. Ajouter le paprika, le cumin et le sucre. Poivrer généreusement. Laisser mijoter 15 minutes ou jusqu'à ce que la sauce épaississe.
5. À l'aide d'une cuillère, creuser un puits dans la préparation et y casser un œuf. Répéter avec les 7 autres œufs.
6. Émietter le feta directement au-dessus du poêlon. Couvrir et cuire 5 minutes ou jusqu'à ce que les blancs d'œufs soient cuits, mais les jaunes encore coulants.
7. Garnir de coriandre et servir avec des pains pitas ou du pain frais.

Cette recette est meilleure préparée à la dernière minute.

VALEUR NUTRITIVE

Calories 326 — Protéines 21 g — Lipides 17 g — Glucides 22 g — Fibres 2 g — Sodium 679 mg

Salade au porc caramélisé

De la viande hachée dans une salade ?
Faites-moi confiance, cette recette fera un bien immense à votre routine !

PORTIONS — 4
PRÉPARATION — 20 MIN
CUISSON — 10 MIN

INGRÉDIENTS

Porc haché maigre — 450 g (1 lb)

Riz parfumé à l'asiatique (voir p. 184) — la recette complète (750 ml / 3 tasses)

Chou rouge — 375 ml (1 1/2 tasse) haché

Concombres libanais — 2

Poivron rouge — 1

Radis — 4 ou 5

Oignons verts — 2

Céleri — 1 branche

Vinaigre de riz — 45 ml (3 c. à soupe)

Sauce hoisin (voir p. 237) — 45 ml (3 c. à soupe)

Sauce piquante sriracha — 5 ml (1 c. à thé)

PRÉPARATION

1. Dans un grand poêlon antiadhésif préchauffé à feu moyen-vif, sans ajouter de matière grasse, cuire le porc haché 7 ou 8 minutes. À l'aide d'une cuillère en bois, égrainer la viande et remuer à quelques reprises. Ne pas trop manipuler pour laisser la viande dorer.
2. Pendant ce temps, déposer le riz dans un plat de service. Hacher tous les légumes et déposer sur le riz.
3. Lorsque la viande est bien dorée, verser le vinaigre de riz. À l'aide de la cuillère en bois, bien mélanger pour déloger les sucs de cuisson de la viande au fond du poêlon.
4. Augmenter à feu vif et poursuivre la cuisson 1 minute ou jusqu'à ce que le liquide soit presque complètement évaporé.
5. Ajouter la sauce hoisin et la sriracha et mélanger pour bien enrober la viande. Poursuivre la cuisson 1 minute.
6. Déposer le porc sur les légumes et servir.

Se conserve 4 jours au réfrigérateur et ne se congèle pas.

VALEUR NUTRITIVE

Calories 337 — Protéines 19 g — Lipides 8 g — Glucides 46 g — Fibres 2 g — Sodium 205 mg

Boulettes de porc au chimichurri

Assez simples pour un lundi soir et assez spectaculaires pour remporter
le premier prix d'un concours culinaire !

PORTIONS — 4

PRÉPARATION — 20 MIN

CUISSON — 30 MIN

INGRÉDIENTS

Gousses d'ail — 2

Oignons verts — 2

Porc haché maigre — 450 g (1 lb)

Chapelure — 60 ml (1/4 tasse)

Thym séché — 15 ml (1 c. à soupe)

Origan séché — 15 ml (1 c. à soupe)

Poivre et sel

Yogourt grec nature — 250 ml (1 tasse)

Sauce chimichurri (voir p. 174) — 125 ml (1/2 tasse)

PRÉPARATION

1   Préchauffer le four à 180 °C (350 °F). Placer la grille au centre du four. Tapisser une plaque
de cuisson de papier parchemin (ou d'une feuille de cuisson réutilisable).

2   Hacher finement l'ail et les oignons verts.

3   Dans un grand bol, mélanger tous les ingrédients sauf le yogourt grec et la sauce
chimichurri. Poivrer généreusement et ajouter une pincée de sel.

4   Avec les mains, former environ 32 boulettes de 2,5 cm (1 po) de diamètre
et les déposer sur la plaque de cuisson.

5   Cuire au four 30 minutes en tournant les boulettes à mi-cuisson.

6   Répartir le yogourt grec dans 4 assiettes. Déposer les boulettes sur le yogourt,
garnir de sauce chimichurri et servir avec des pains pitas.

Les boulettes se conservent 4 jours au réfrigérateur ou 3 mois au congélateur.

VALEUR NUTRITIVE

Calories 307 — Protéines 28 g — Lipides 17 g — Glucides 10 g — Fibres 2 g — Sodium 172 mg

Burger au porc façon dumpling

Le bon goût d'un dumpling sans devoir maîtriser l'art de l'origami. Un mélange des genres réussi !

PORTIONS — 4
PRÉPARATION — 20 MIN
CUISSON — 17 MIN

INGRÉDIENTS

Gingembre frais — 30 ml (2 c. à soupe) râpé

Oignons verts — 3

Porc haché maigre — 450 g (1 lb)

Sauce soya réduite en sodium — 15 ml (1 c. à soupe)

Huile de sésame grillé (voir p. 236) — 2,5 ml (1/2 c. à thé)

Huile d'olive — 5 ml (1 c. à thé)

Pains à hamburger — 4

Mayonnaise allégée — 60 ml (1/4 tasse)

SALADE

Chou nappa — 500 ml (2 tasses) haché

Vinaigre de vin rouge — 30 ml (2 c. à soupe)

Huile de sésame grillé — 10 ml (2 c. à thé)

Sel — 1 pincée

Sucre — 1 pincée

PRÉPARATION

1   À l'aide d'une râpe fine (de type Microplane), râper le gingembre sans le peler. Hacher finement les oignons verts.
2   Dans un grand bol, mélanger le gingembre, les oignons verts, le porc, la sauce soya et l'huile de sésame.
3   Façonner 4 galettes avec les mains. Bien presser pour que les galettes se tiennent à la cuisson.
4   Dans un grand poêlon antiadhésif, chauffer l'huile d'olive à feu moyen. Cuire les galettes 8 minutes. Retourner et poursuivre la cuisson 7 minutes ou jusqu'à ce que l'intérieur des galettes soit bien cuit.
5   Pendant ce temps, hacher le chou nappa. Dans un grand bol, mélanger tous les ingrédients de la salade.
6   Préchauffer le four à gril (broil). Placer la grille au centre du four.
7   Couper les pains en deux sur l'épaisseur et griller au four 2 minutes, la partie intérieure vers le haut.
8   Tartiner les pains grillés de mayonnaise. Répartir les galettes et la salade de chou. Refermer en sandwichs et servir.

Cette recette est meilleure préparée à la dernière minute, mais les galettes se conservent 4 jours au réfrigérateur ou 3 mois au congélateur. La salade de chou se conserve 2 jours au réfrigérateur.

VALEUR NUTRITIVE

Calories 401 — Protéines 26 g — Lipides 21 g — Glucides 26 g — Fibres 2 g — Sodium 573 mg

Couscous marocain

Un plat végé qui fait plus que dépanner. Grâce à son épice magique, vous allez vous régaler !

PORTIONS — 4

PRÉPARATION — 15 MIN

CUISSON — 15 MIN

INGRÉDIENTS

Semoule de blé entier (couscous) — 375 ml (1 1/2 tasse)

Ras-el-hanout (voir p. 237) — 30 ml (2 c. à soupe), divisé

Carottes — 2

Céleri — 2 branches

Oignon rouge — 1

Poivron rouge — 1

Huile d'olive — 7,5 ml (1/2 c. à soupe)

Pois chiches — 1 boîte de 540 ml

Citron — 1

Poivre du moulin

Fleur de sel

PRÉPARATION

1   Porter de l'eau à ébullition.
2   Dans un grand bol, verser 500 ml (2 tasses) d'eau bouillante. Ajouter la semoule et 15 ml (1 c. à soupe) de ras-el-hanout. Remuer, couvrir le bol avec une assiette et laisser gonfler 10 minutes.
3   Pendant ce temps, trancher finement les carottes en biseau et couper le céleri en tranches. Couper l'oignon et le poivron en cubes.
4   Dans un grand poêlon antiadhésif, chauffer l'huile à feu moyen-vif. Ajouter tous les légumes et cuire 7 ou 8 minutes en remuant à quelques reprises jusqu'à ce qu'ils soient dorés, mais encore croquants.
5   Pendant ce temps, rincer et égoutter les pois chiches. Couper le citron en quartiers. Égrainer le couscous à l'aide d'une fourchette.
6   Ajouter les pois chiches et le reste du ras-el-hanout dans le poêlon. Remuer pour bien enrober les légumes et les pois chiches. Poursuivre la cuisson 2 minutes.
7   Répartir le couscous dans 4 bols et ajouter le mélange de pois chiches.
8   Garnir d'un filet d'huile d'olive, de poivre concassé et de fleur de sel. Ajouter un quartier de citron et servir. Se mange chaud ou froid.

Se conserve 5 jours au réfrigérateur ou 3 mois au congélateur.

VALEUR NUTRITIVE

Calories 453 — Protéines 16 g — Lipides 7 g — Glucides 82 g — Fibres 12 g — Sodium 287 mg

Fricassée de haricots de Lima et d'aubergine

Une fricassée qui fracassera tous les concours de popularité grâce à Lima,
le haricot dodu mais délicat.

PORTIONS — 6
PRÉPARATION — 20 MIN
CUISSON — 27 MIN

INGRÉDIENTS

Aubergine — 1

Poivron orange — 1

Oignon rouge — 1

Gousses d'ail — 2

Huile d'olive — 15 ml (1 c. à soupe)

Poivre et sel

Tomates en dés sans sel ajouté — 2 boîtes de 796 ml

Flocons de piment fort — 1 pincée

Herbes de Provence — 15 ml (1 c. à soupe)

Gros haricots de Lima (voir p. 236) — 2 boîtes de 540 ml

Basilic frais — au goût

PRÉPARATION

1   Couper l'aubergine et le poivron en cubes. Hacher l'oignon et l'ail.
2   Dans une grande casserole, chauffer l'huile à feu moyen-vif. Ajouter l'aubergine
    et l'oignon. Poivrer généreusement et ajouter une pincée de sel. Cuire 10 minutes
    ou jusqu'à ce que l'oignon soit translucide.
3   Ajouter l'ail et le poivron. Poursuivre la cuisson 5 minutes. Égoutter les tomates.
4   Ajouter les tomates, les flocons de piment et les herbes de Provence dans la casserole.
    Poivrer généreusement et ajouter une pincée de sel.
5   Réduire à feu moyen et laisser mijoter 10 minutes.
6   Pendant ce temps, rincer et égoutter les haricots. Ajouter dans la casserole et mélanger.
    Poursuivre la cuisson 2 minutes pour bien les réchauffer.
7   Répartir la fricassée dans 6 bols et garnir de feuilles de basilic. Accompagner de pain.

Se conserve 5 jours au réfrigérateur ou 3 mois au congélateur.

VALEUR NUTRITIVE

Calories 262 — Protéines 12 g — Lipides 3 g — Glucides 51 g — Fibres 12 g — Sodium 343 mg

Salade de pommes de terre et de lentilles

Aimes-tu ça les patates ? En v'là des pas plates.

PORTIONS — 4

PRÉPARATION — 20 MIN

CUISSON — 20 MIN

INGRÉDIENTS

Pommes de terre grelots — 450 g (1 lb)

Lentilles — 1 boîte de 540 ml

Kale (chou frisé, voir p. 236) — 500 ml (2 tasses)

Céleri — 4 branches

Petits cornichons surs — 4

Ciboulette fraîche — 30 ml (2 c. à soupe)

Moutarde à l'ancienne (moutarde de Meaux) — 15 ml (1 c. à soupe)

Huile d'olive — 30 ml (2 c. à soupe)

Vinaigre de vin rouge — 15 ml (1 c. à soupe)

PRÉPARATION

1   Couper les pommes de terre en deux. Déposer dans une casserole moyenne et couvrir d'eau.

2   Porter à ébullition à feu vif. Réduire à feu moyen-vif et cuire 15 minutes. Égoutter
    et laisser tiédir.

3   Pendant ce temps, rincer et égoutter les lentilles. Hacher finement le kale. Couper le céleri
    en dés. Hacher finement les cornichons et la ciboulette.

4   Dans un grand bol, mélanger la moutarde, l'huile et le vinaigre. Ajouter le kale. Mélanger
    en pressant avec les doigts pour faire pénétrer la vinaigrette dans le kale et l'attendrir.

5   Ajouter les grelots, les lentilles, le céleri, les cornichons et la ciboulette.
    Bien mélanger et servir.

Se conserve 2 jours au réfrigérateur et ne se congèle pas.

VALEUR NUTRITIVE

Calories 304 — Protéines 15 g — Lipides 8 g — Glucides 45 g — Fibres 8 g — Sodium 190 mg

Pour de précieux raccourcis

Certains soirs, lorsque le cœur n'y est pas, préparer un repas à partir de zéro s'avère un vrai
tour de force. On n'a pas envie, pas l'énergie, pas l'inspiration. Mieux vaut avoir sous
la main ces quelques raccourcis ultra pratiques. De vrais dépanneurs qui vous permettront
de passer de « aucune idée quoi cuisiner » à « ah, OK, j'sais ce que je vais préparer ».

LES LÉGUMES

- **Les laitues et les épinards prélavés**
  De la roquette en garniture sur des pâtes ou une pizza, des épinards dans une omelette ou une soupe,
  ou un mélange de mesclun avec une vinaigrette : rien de plus simple pour ajouter de la verdure à un repas.
- **Les légumes surgelés**
  Pas besoin de sortir la planche à découper avec ces légumes fidèles au poste, été comme hiver. Ajoutez des petits
  pois dans un cari indien ou des grains de maïs à un riz mexicain et le tour est joué !

LES PROTÉINES

- **Les œufs**
  En omelette, en frittata, en strata ou simplement cuits durs sur une salade ou en sandwichs, les œufs sont si
  faciles à cuisiner. Ils se conservent longtemps, alors pas de raison de ne pas en avoir en tout temps dans le frigo !
- **La viande hachée**
  Gardez-en un paquet au congélo. Ça se dégèle facilement et ça se cuit rapidement. En burger, en sauce,
  en salade, en boulettes... Les possibilités sont infinies !
- **Les légumineuses en conserve**
  Une fois rincées et égouttées, réchauffez-les dans un chili ou une soupe. Vous pouvez aussi les ajouter
  directement à une salade-repas. Difficile de faire plus rapide.
- **Les poissons et les fruits de mer en conserve**
  Déjà cuits, disponibles toute l'année et à une fraction du prix de leurs confrères frais, ils sont parfaits
  dans un gratin ou un plat de pâtes, sur une pizza ou en garniture à sandwich.
- **Les crevettes nordiques surgelées**
  Il suffit de les décongeler dans un bol d'eau fraîche pendant quelques minutes, puis de les ajouter à une salade,
  à un sauté ou à une soupe asiatique.

LES FÉCULENTS

- **Les nouilles de riz et les nouilles udon**
  Trempées à peine quelques minutes dans de l'eau bouillante, elles sont prêtes à utiliser. Parfaites
  dans les soupes, les salades et les sautés, elles sont beaucoup plus rapides à cuisiner que les pâtes de blé.
- **Le couscous et le riz précuit**
  Pour un accompagnement express ou comme base d'une salade-repas, ces deux grains ultra rapides
  vous permettront d'économiser de précieuses minutes de préparation.

Toujours pas décidé ? Allez faire un tour au chapitre des soupers touski (voir p. 143) et vous verrez comment
tous ces ingrédients décousus peuvent devenir le point de départ d'un délicieux repas improvisé !

Soupers touski

« Touski » quoi ? Tout ce qui reste !

Ce soir, on fait ce qu'on veut avec ce qu'on a !
C'est le temps de sortir tous les petits restants
et de compléter avec les réserves du garde-
manger. Ces recettes antigaspillage s'adaptent
bien à ce que vous avez sous la main. Un riz,
des pâtes, une salade… amusez-vous à créer
des recettes uniques avec ces canevas vide-frigo
super flexibles. Légumes cuits ou crus, oubliés
ou achetés en trop grande quantité, tous seront
sauvés dans ces recettes inspirées de la réalité.

Pâtes en sauce crémeuse

Pour recevoir avec des fonds de tiroir.

PORTIONS — 6

PRÉPARATION — 15 MIN

CUISSON — 27 MIN

INGRÉDIENTS

Légumes verts feuillus (voir Note) — 1 L (4 tasses)

Pâtes courtes — 1 boîte de 450 g

Crevettes nordiques (voir Note) — 1 sac de 340 à 450 g

Lait — 1 L (4 tasses)

Farine tout usage — 125 ml (1/2 tasse)

Poivre et sel

Fromage de chèvre non affiné à pâte molle (voir Note) — 1 paquet de 125 g

PRÉPARATION

1. Hacher les légumes.
2. Porter une grande casserole d'eau à ébullition. Cuire les pâtes selon les indications sur l'emballage. Deux minutes avant la fin de la cuisson des pâtes, ajouter les légumes. Terminer la cuisson, égoutter et réserver.
3. Pendant la cuisson des pâtes, rincer et égoutter les crevettes.
4. Dans la casserole utilisée pour cuire les pâtes, hors du feu, fouetter le lait et la farine. Poivrer généreusement et ajouter une pincée de sel.
5. Porter à ébullition à feu moyen en remuant régulièrement. Aux premiers bouillons, poursuivre la cuisson 1 minute en remuant puis réduire à feu doux.
6. Ajouter les crevettes et poursuivre la cuisson 2 ou 3 minutes pour les décongeler complètement. Incorporer les pâtes et poursuivre la cuisson 1 minute pour les réchauffer.
7. Retirer du feu, émietter le fromage directement au-dessus de la casserole et mélanger. Goûter et ajuster l'assaisonnement au besoin. Servir.

Cette recette est meilleure préparée à la dernière minute, mais se conserve 2 jours au réfrigérateur.

NOTE Utilisez les légumes verts feuillus que vous avez sous la main. Le kale (chou frisé, voir p. 236), la bette à carde (voir p. 236) et les épinards sont parfaits dans cette recette. Vous pouvez remplacer les crevettes nordiques par 500 ml (2 tasses) d'un reste de saumon ou de poulet cuit ou encore par du crabe ou du thon en conserve. Pas de fromage de chèvre ? Un camembert ou un brie auquel vous retirerez la croûte conviendra tout à fait.

VALEUR NUTRITIVE

Calories 491 — Protéines 30 g — Lipides 9 g — Glucides 75 g — Fibres 4 g — Sodium 601 mg

Salade de couscous aux légumes

Une salade de votre cru, avec tous les petits restes crus que vous avez à portée de main.

PORTIONS — 4

PRÉPARATION — 20 MIN

CUISSON — 5 MIN

INGRÉDIENTS

Semoule de blé entier (couscous) — 250 ml (1 tasse)

Légumes crus (voir Note) — 500 ml (2 tasses)

Herbes fraîches (voir Note) — 500 ml (2 tasses)

Légumineuses en conserve (voir Note) — 1 boîte de 540 ml

Citron — 1

Fromage feta (voir Note) — 90 g (3 oz) ou 125 ml (1/2 tasse) émietté

Huile d'olive — 30 ml (2 c. à soupe)

Cumin moulu — 5 ml (1 c. à thé)

Poivre et sel

PRÉPARATION

1   Porter de l'eau à ébullition.

2   Dans un grand bol, verser 250 ml (1 tasse) d'eau bouillante et ajouter la semoule. Laisser gonfler 10 minutes.

3   Pendant ce temps, hacher les légumes et les fines herbes. Rincer et égoutter les légumineuses.

4   Égrainer le couscous à l'aide d'une fourchette. Directement au-dessus du bol, presser le citron et émietter le feta. Ajouter l'huile et le cumin et bien mélanger.

5   Ajouter les légumes et les fines herbes. Mélanger, poivrer généreusement et ajouter une pincée de sel.

Se conserve 4 jours au réfrigérateur et ne se congèle pas.

NOTE   Prenez les légumes et les herbes fraîches que vous avez sous la main. Vous pouvez remplacer les légumineuses par 375 ml (1 1/2 tasse) de n'importe quel restant de viande cuite. Pas de feta ? Des perles de bocconcini, des cubes de cheddar ou du fromage de chèvre émietté seront tout aussi bons !

VALEUR NUTRITIVE

Calories 440 — Protéines 21 g — Lipides 13 g — Glucides 63 g — Fibres 8 g — Sodium 290 mg

Plaque de légumes-racines et de tofu

Un tout-inclus à la plage ? Non, à la plaque.

PORTIONS — 4
PRÉPARATION — 20 MIN
CUISSON — 45 MIN

INGRÉDIENTS

Légumes-racines (voir Note) — 1 L (4 tasses)

Oignon rouge — 1

Tofu extra ferme — 1 bloc de 350 g ou 450 g

Moutarde de Dijon — 60 ml (1/4 tasse)

Herbes de Provence — 30 ml (2 c. à soupe)

Sauce soya — 30 ml (2 c. à soupe)

Huile d'olive — 15 ml (1 c. à soupe)

Miel — 30 ml (2 c. à soupe)

Citron — 1

Fromage feta — 90 g (3 oz) ou 125 ml (1/2 tasse) émietté

PRÉPARATION

1 Préchauffer le four à 190 °C (375 °F). Placer la grille au centre du four. Tapisser une plaque de cuisson de papier parchemin (ou d'une feuille de cuisson réutilisable).

2 Couper les légumes-racines, l'oignon et le tofu en dés d'environ 1,5 cm (1/2 po). Déposer sur la plaque de cuisson.

3 Dans un petit bol, mélanger la moutarde, les herbes de Provence, la sauce soya, l'huile et le miel.

4 Verser sur la plaque et bien mélanger avec les mains pour enrober les légumes et le tofu.

5 Cuire au four 45 minutes.

6 Couper le citron en quartiers. Émietter le feta directement au-dessus de la plaque. Servir avec les quartiers de citron.

Se conserve 5 jours au réfrigérateur et ne se congèle pas.

NOTE Cette plaque de légumes est parfaite pour passer les restes de légumes qui commencent à flétrir. Vous n'avez qu'à mélanger plusieurs variétés de légumes-racines pour obtenir 1 L (4 tasses). Rutabaga, céleri-rave, patate douce, panais, pomme de terre, carotte, tout y passe !

VALEUR NUTRITIVE

Calories 426 — Protéines 25 g — Lipides 18 g — Glucides 48 g — Fibres 7 g — Sodium 744 mg

Quesadilla vide-frigo

Quesa goûte une quesadilla ? Ça dépend de ce qu'il y a dans ton frigo !

PORTIONS — 4
PRÉPARATION — 15 MIN
CUISSON — 14 MIN

INGRÉDIENTS

Haricots noirs (voir Note) — 1/2 boîte de 540 ml

Légumes crus ou cuits (voir Note) — 500 ml (2 tasses)

Fromage (voir Note) — 125 g (4 oz) ou 250 ml (1 tasse) râpé

Assaisonnement au chili à la mexicaine — 15 ml (1 c. à soupe)

Tortillas de blé entier — 4 grandes

Garnitures — au choix (voir Note)

PRÉPARATION

1   Rincer et égoutter les haricots. Déposer dans un grand bol et écraser grossièrement à l'aide d'une fourchette.

2   Hacher les légumes et râper le fromage. Déposer dans le bol avec les haricots. Ajouter l'assaisonnement au chili et mélanger.

3   Dans un grand poêlon antiadhésif préchauffé à feu moyen, déposer une tortilla. Répartir environ un quart du mélange de légumineuses sur la moitié de la tortilla et plier en deux.

4   Dans l'autre moitié du poêlon, répéter l'étape 3 pour cuire 2 quesadillas côte à côte. Cuire 5 minutes en pressant légèrement les quesadillas avec une spatule, retourner et poursuivre la cuisson 2 minutes ou jusqu'à ce que le fromage soit fondu.

5   Transférer les quesadillas dans une assiette et répéter les étapes 3 et 4 avec les 2 autres tortillas. Au besoin, réduire le feu pour éviter que les tortillas noircissent.

6   Déposer sur une planche à découper, couper en triangles et servir avec les garnitures choisies.

Cette recette est meilleure préparée à la dernière minute, mais le mélange de légumineuses se conserve 5 jours au réfrigérateur.

NOTE   Conservez le reste de la boîte de haricots pour préparer une salade ou pour ajouter à une soupe-repas. Vous pouvez aussi utiliser des haricots rouges ou blancs ou encore remplacer les légumineuses par un restant de viande ou de poulet cuit, coupé en dés. Tous les légumes sont les bienvenus dans cette recette ! Privilégiez les légumes qui ne nécessitent pas trop de cuisson, comme les tomates, les poivrons ou les oignons verts, et passez vos restants de légumes cuits ! Vous pouvez aussi utiliser n'importe quel fromage à pâte ferme : mozzarella, cheddar, suisse ou gouda donneront de la personnalité à vos quesadillas. Garnissez-les de crème sure, de yogourt grec nature, de guacamole, de salsa, de lime ou de coriandre fraîche selon ce que vous avez sous la main.

VALEUR NUTRITIVE

Calories 349 — Protéines 16 g — Lipides 13 g — Glucides 42 g — Fibres 7 g — Sodium 700 mg

Riz frit antigaspillage

La plus québécoise des recettes chinoises.

PORTIONS — 4

PRÉPARATION — 20 MIN

CUISSON — 13 MIN

INGRÉDIENTS

Oignon — 1

Légumes crus (voir Note) — 500 ml (2 tasses)

Huile d'olive — 15 ml (1 c. à soupe)

Edamames écossés surgelés (voir Note) — 250 ml (1 tasse)

Poivre et sel

Gousses d'ail — 2

Oignons verts (voir Note) — 2 ou 3

Gingembre frais — 30 ml (2 c. à soupe) râpé

Œufs — 4

Reste de riz cuit — 500 ml (2 tasses)

Sauce hoisin (voir p. 237) — 60 ml (1/4 tasse)

PRÉPARATION

1   Hacher finement l'oignon et les légumes.

2   Dans un grand poêlon, chauffer l'huile à feu moyen-vif. Ajouter l'oignon, les légumes et les edamames et cuire de 5 à 7 minutes pour les attendrir, sans les cuire complètement. Poivrer généreusement et ajouter une pincée de sel.

3   Pendant ce temps, hacher l'ail et les oignons verts. À l'aide d'une râpe fine (de type Microplane), râper le gingembre sans le peler.

4   Ajouter l'ail et le gingembre dans le poêlon, remuer et poursuivre la cuisson 2 minutes.

5   Réduire à feu moyen. Faire un puits au centre de la préparation. Ajouter les œufs et cuire 2 minutes en remuant de temps en temps pour obtenir des œufs brouillés. Incorporer le riz et la sauce hoisin. Poursuivre la cuisson 2 minutes pour bien réchauffer. Garnir d'oignons verts et servir.

Se conserve 5 jours au réfrigérateur et ne se congèle pas.

NOTE   Prenez les légumes que vous avez sous la main. Pas d'edamames ? Remplacez-les par du poulet ou du porc cuit, coupé en dés, que vous ajouterez en même temps que le gingembre. Pas d'oignons verts ? Remplacez-les par 30 à 60 ml (2 c. à soupe à 1/4 tasse) d'herbes fraîches hachées (ciboulette, coriandre, basilic thaï...).

VALEUR NUTRITIVE

Calories 362 — Protéines 16 g — Lipides 13 g — Glucides 48 g — Fibres 5 g — Sodium 580 mg

Pour un frigo antigaspillage

Découragé à l'idée de nourrir la poubelle chaque fois que vous décidez
de faire le ménage du frigo ? Voici 5 trucs pour éviter de jeter
des aliments inutilement.

N'ACHETEZ PAS TROP   Avant de faire vos courses, vérifiez ce que vous avez déjà
et planifiez vos recettes à partir de ces ingrédients. Un frigo trop plein, ça ne respire pas
et les aliments s'y conservent moins bien. Protégez tous vos aliments en les transvidant
dans des contenants hermétiques ou en les emballant dans une pellicule de cire d'abeille.

APPRENEZ « L'ART DE LA SUBSTITUTION »   Évitez d'acheter des pots qui ne serviront
qu'une fois. Dans une recette, osez remplacer un ingrédient que vous n'avez pas par son
équivalent. Ça réduit les arrêts à l'épicerie et ça vous permet d'utiliser ce que vous avez
déjà. Par exemple, la crème sure peut très bien être remplacée par du yogourt nature,
le sambal oelek par une autre sauce piquante comme la sriracha et le kale (chou frisé)
par des épinards.

RÉORGANISEZ VOTRE FRIGO   Au retour de l'épicerie, rangez vos achats selon
la technique PEPS : Premier Entré, Premier Sorti. Ça demande un petit effort, mais
croyez-moi, ça évite beaucoup de gaspillage ! Mettez en avant tout ce qui est déjà
dans le frigo, pour que ce soit bien à la vue, afin de l'utiliser en premier. Les nouveaux
achats iront attendre leur tour derrière !

N'OUBLIEZ PAS VOS PRÉCIEUX RESTES   Deux fois par semaine, faites un petit
inventaire rapide de votre frigo. Ça ne prend que deux minutes et ça évite d'oublier
des petits trésors au fond du frigo. Pour les cuisiner avant qu'il ne soit trop tard, préparez
un « touski » (voir p. 143).

PROFITEZ DE VOTRE CONGÉLATEUR   Plutôt que de collectionner vos restants dans
le frigo, congelez-les, ça fera de super lunchs lorsque vous serez mal pris. Des surplus
de fromage ? Râpez-les et congelez-les. Même chose avec la racine de gingembre
qui commence à ratatiner ou la barquette de piments forts que vous n'utiliserez pas
complètement.

En rebrassant fréquemment le contenu de votre frigo et en conservant mieux les aliments,
vous gaspillerez moins, c'est certain ! Et, entre vous et moi, un frigo *spic and span*,
c'est beaucoup plus inspirant lorsque vient le temps de préparer le souper !

Les soupers
à assembler

Pour un repas sans casse-tête

Grosse journée ? Pas le goût de cuisiner ? Passez
en mode buffet. Placez tout au centre de la table
et laissez chacun se servir. Pas compliqué et
rassembleur. Vive la simplicité ! Tout le monde
y trouvera son compte et mangera à sa faim.
Pas de casserole à récurer, presque pas
de vaisselle à laver. Ce soir, vous êtes en mode
économie d'énergie. Et je parie que cette
formule deviendra un nouveau classique dans
votre répertoire de soupers rapides.

Bagel au saumon fumé

De bons bagels au sésame, du saumon fumé, plein de garnitures cools,
du fromage à la crème ou du fromage de chèvre... En 5 minutes,
la table sera garnie d'un souper frais, délicieux et vite fait !

Wrap au poulet

Un reste de poulet cuit, plein de légumes, du fromage,
des marinades... Choisissez ce que vous voulez
pour un wrap gourmand prêt en un rien de temps !

Tablée libanaise

Faites un arrêt à l'épicerie pour ramasser houmous, crudités, pains pitas, feuilles de vigne farcies, olives et noix. Assaisonnez ensuite du yogourt grec avec de l'huile d'olive, du sel et du poivre. C'est tout ce qu'il vous faut pour une soirée pas compliquée qui goûte l'été !

Plateau de fromages à partager

Quand l'envie d'apéro surgit un mardi soir, on assemble un plateau de fromages québécois allégés, un beau pain croûté, des craquelins, des noix, des fruits frais et séchés, et le tour est joué !

Le secret est dans la sauce

Pour réveiller votre souper

Imaginez toutes les personnalités qu'on peut
donner à une simple poitrine de poulet
lorsqu'on la sert avec une sauce tzatziki,
une mayo épicée, une sauce crémeuse, fromagée
ou acidulée. Je vous présente ici toutes
mes sauces préférées, que vous maîtriserez
facilement pour les cuisiner souvent, souvent !

Mayo épicée

Dans un petit bol, mélanger 60 ml (1/4 tasse) de mayonnaise,
60 ml (1/4 tasse) de yogourt grec nature, 2,5 ml (1/2 c. à thé) d'assaisonnement
cajun et de 2,5 à 5 ml (1/2 à 1 c. à thé) de sauce piquante sriracha.

Servir en trempette pour accompagner des crudités, des frites de patates douces
et des lanières de poulet grillé.

Donne 125 ml (1/2 tasse).
Se conserve 3 jours au réfrigérateur et ne se congèle pas.

Sauce crémeuse à la moutarde

Dans un petit poêlon antiadhésif, à feu moyen-vif, porter à ébullition
125 ml (1/2 tasse) de vin blanc et 1 oignon haché finement. Réduire à feu
moyen et laisser mijoter environ 5 minutes ou jusqu'à ce que le liquide soit
presque complètement évaporé. Ajouter 250 ml (1 tasse) de crème 35 % m.g.
et porter à ébullition. Laisser mijoter 10 minutes. Ajouter 30 ml (2 c. à soupe)
de moutarde à l'ancienne (moutarde de Meaux), mélanger et poursuivre
la cuisson 1 minute. Retirer du feu et incorporer 125 ml (1/2 tasse)
de yogourt grec nature.

Servir en accompagnement d'une viande grillée avec une purée
de pommes de terre et des légumes.

Donne 325 ml (1 1/3 tasse).
Se conserve 4 jours au réfrigérateur et ne se congèle pas.

Vinaigrette déesse verte

Dans le récipient du pied-mélangeur ou du mélangeur électrique (*blender*),
déposer la chair de 1 avocat, le jus de 1 citron, 1 gousse d'ail,
125 ml (1/2 tasse) de persil frais, 125 ml (1/2 tasse) de menthe fraîche,
125 ml (1/2 tasse) d'eau et 60 ml (1/4 tasse) de yogourt grec nature.
Réduire en purée lisse.

Servir en vinaigrette dans une salade. Pour une salade-repas touski,
ajouter des œufs, des légumineuses ou un reste de poulet et un reste
de quinoa, de riz ou d'orge.

Donne 375 ml (1 1/2 tasse).
Se conserve 3 jours au réfrigérateur et ne se congèle pas.

Chimichurri

Dans un petit bol, mélanger 250 ml (1 tasse) d'herbes fraîches hachées finement (aneth, coriandre, basilic, ciboulette, persil...), 1 échalote française hachée finement, 45 ml (3 c. à soupe) d'huile d'olive, 30 ml (2 c. à soupe) de vinaigre de vin rouge et une pincée de flocons de piment fort.

Servir sur une côtelette de porc grillée avec des pommes de terre grelots et une salade verte.

Donne 250 ml (1 tasse).
Se conserve 1 semaine au réfrigérateur et ne se congèle pas.

Sauce au fromage

Dans une casserole moyenne, hors du feu, fouetter 500 ml (2 tasses) de lait et 60 ml (1/4 tasse) de farine tout usage. Poivrer généreusement et ajouter une pincée de sel. Porter à ébullition à feu moyen en remuant régulièrement. Aux premiers bouillons, poursuivre la cuisson 1 minute en remuant, puis réduire à feu doux. Ajouter 500 ml (2 tasses) de fromage cheddar fort râpé et poursuivre la cuisson 1 ou 2 minutes pour faire fondre le fromage.

Utiliser pour préparer un macaroni au fromage. Garnir de poivre concassé et de chapelure panko (voir p. 236) grillée au four ou dans un poêlon, sans ajouter de matière grasse.

Donne 375 ml (1 1/2 tasse).
La sauce est meilleure préparée à la dernière minute, mais se conserve
3 jours au réfrigérateur.

Sauce tzatziki

Sans le peler, couper 1/2 concombre anglais sur la longueur.
À l'aide d'une petite cuillère, gratter l'intérieur pour retirer les pépins.
Râper le concombre et déposer dans un bol moyen. Ajouter 250 ml (1 tasse)
de yogourt grec nature et 1 gousse d'ail hachée finement. Bien mélanger.
Poivrer généreusement et ajouter une pincée de sel.

Servir en gyro avec un pain pita garni de légumes et de poulet grillé.

Donne 500 ml (2 tasses).
Se conserve 5 jours au réfrigérateur et ne se congèle pas.

Accompagnements express

Fini la monotonie avec ces à-côtés rapides à préparer

Vous cuisinez toujours les mêmes accompagnements ? Renouvelez votre catalogue d'idées ! Amusez-vous à secouer vos habitudes en créant différentes combinaisons de légumes et de féculents. Il ne vous restera qu'à poêler un filet de poisson, une poitrine de poulet, une côtelette de porc ou un petit tournedos de bœuf pour leur faire honneur.

Riz parfumé à l'asiatique

À l'aide d'un tamis, rincer 250 ml (1 tasse) de riz basmati sous l'eau froide et égoutter. Déposer dans une casserole moyenne, ajouter 500 ml (2 tasses) d'eau, 15 ml (1 c. à soupe) de sauce de poisson (voir p. 237), 15 ml (1 c. à soupe) de vinaigre de riz et le jus de 1 lime. Mélanger et porter à ébullition à feu vif. Réduire à feu moyen-doux, couvrir et cuire 15 minutes. Retirer du feu et laisser reposer 5 minutes à couvert. Servir.

Donne 4 portions.
Se conserve 5 jours au réfrigérateur ou 6 mois au congélateur.

Couscous israélien
aux fines herbes

Dans une grande casserole, chauffer 15 ml (1 c. à soupe) d'huile d'olive à feu moyen-vif. Ajouter 500 ml (2 tasses) de couscous israélien (voir p. 236) et cuire 3 minutes en remuant. Verser 1 L (4 tasses) de bouillon de poulet et porter à ébullition à feu vif. Réduire à feu moyen et poursuivre la cuisson 8 ou 9 minutes en remuant à quelques reprises, jusqu'à ce que le bouillon soit absorbé. Dans un grand bol de service, mélanger le couscous, 500 ml (2 tasses) d'herbes fraîches hachées (aneth, coriandre, basilic, ciboulette, persil...) et 15 ml (1 c. à soupe) d'huile d'olive. Garnir de poivre concassé, d'une pincée de fleur de sel et servir.

Donne 4 portions.
Se conserve 5 jours au réfrigérateur sans les fines herbes et ne se congèle pas.

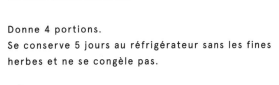

Gnocchis grillés façon patates frites

Préchauffer le four à 230 °C (450 °F). Dans un grand bol, mélanger 450 g (1 lb) de gnocchis emballés sous vide et 15 ml (1 c. à soupe) d'huile d'olive. Répartir les gnocchis sur une plaque de cuisson tapissée de papier parchemin (ou d'une feuille de cuisson réutilisable) et cuire au centre du four 15 minutes. Terminer la cuisson sous le gril (*broil*) 5 minutes. Servir avec du ketchup.

Donne 4 portions.
Cette recette est meilleure préparée
à la dernière minute.

Grelots grillés

Préchauffer le four à 200 °C (400 °F). Dans un grand bol, mélanger 675 g (1 1/2 lb) de pommes de terre grelots coupées en deux, 15 ml (1 c. à soupe) de moutarde de Dijon, 15 ml (1 c. à soupe) de moutarde à l'ancienne (moutarde de Meaux) et 15 ml (1 c. à soupe) d'huile d'olive. Répartir sur une plaque de cuisson tapissée de papier parchemin (ou d'une feuille de cuisson réutilisable). Cuire au four 30 minutes ou jusqu'à ce que les grelots soient tendres et dorés. À la sortie du four, saupoudrer d'une pincée de fleur de sel et servir.

Donne 6 portions.
Se conserve 4 jours au réfrigérateur
et ne se congèle pas.

→

Patates douces écrasées

Préchauffer le four à 230 °C (450 °F). Retirer les extrémités de 2 patates douces. Faire une incision dans la pelure sur toute la longueur des patates et couper en rondelles d'environ 1,5 cm (1/2 po) d'épaisseur. Répartir sur une plaque de cuisson tapissée de papier parchemin (ou d'une feuille de cuisson réutilisable). Cuire au centre du four 25 minutes. À la sortie du four, retourner les patates douces et écraser à l'aide du fond d'un pot Mason. Badigeonner de 15 ml (1 c. à soupe) de beurre fondu et saupoudrer 60 ml (1/4 tasse) de parmesan finement râpé. Poivrer généreusement et ajouter une pincée de sel. Terminer la cuisson sous le gril (*broil*) 5 minutes et servir.

Donne 4 portions.
Cette recette est meilleure préparée à la dernière minute, mais se conserve 4 jours au réfrigérateur.

Orzo au parmesan

Porter une moyenne casserole d'eau à ébullition. Cuire 500 ml (2 tasses) d'orzo selon les indications sur l'emballage. Réserver 125 ml (1/2 tasse) d'eau de cuisson et égoutter l'orzo à l'aide d'un tamis. Déposer dans un plat de service. Ajouter 125 ml (1/2 tasse) de parmesan finement râpé, le zeste de 1 citron et l'eau de cuisson réservée. Verser 15 ml (1 c. à soupe) d'huile d'olive et bien mélanger. Poivrer généreusement, ajouter une pincée de sel et servir.

Donne 6 portions.
Cette recette est meilleure préparée à la dernière minute, mais se conserve 3 jours au réfrigérateur.

Bouchées de chou-fleur caramélisé

Préchauffer le four à 230 °C (450 °F). Défaire 1 chou-fleur en fleurons et déposer dans un grand bol. Dans un petit bol allant au four à micro-ondes, chauffer 30 ml (2 c. à soupe) de beurre, 30 ml (2 c. à soupe) de sirop d'érable et 10 ml (2 c. à thé) de sauce piquante sriracha 30 secondes. Mélanger. Verser la moitié du mélange de beurre sur le chou-fleur et bien mélanger. Répartir le chou-fleur sur une plaque de cuisson tapissée de papier parchemin et cuire au centre du four 10 minutes. Retourner les fleurons et badigeonner du reste du mélange de beurre. Terminer la cuisson sous le gril (*broil*) 5 minutes et servir.

Donne 4 portions.
Cette recette est meilleure préparée à la dernière minute, mais se conserve 5 jours au réfrigérateur.

Poêlée de bette à carde

Couper les tiges de 8 bettes à carde (voir p. 236) en morceaux d'environ 2 cm (3/4 po) et hacher grossièrement les feuilles. Hacher finement 1 échalote française. Dans un poêlon antiadhésif, chauffer 15 ml (1 c. à soupe) d'huile d'olive à feu moyen-vif. Ajouter les tiges de bette à carde et l'échalote. Poivrer généreusement et ajouter une pincée de sel. Cuire 3 ou 4 minutes ou jusqu'à ce que l'échalote soit dorée. Ajouter les feuilles de bette à carde et le jus de 1/2 citron. Poursuivre la cuisson 2 minutes ou jusqu'à ce que les feuilles soient tendres. Servir.

Donne 4 portions.
Cette recette est meilleure préparée à la dernière minute.

Kale au tzatziki

Dans un grand bol, déposer 1,5 L (6 tasses) de kale (chou frisé, voir p. 236) haché finement. Ajouter 250 ml (1 tasse) de tzatziki maison (voir p. 178) ou du commerce. Bien mélanger. Garnir de poivre concassé et servir.

Donne 6 portions.
Se conserve 1 jour au réfrigérateur
et ne se congèle pas.

←

Verdure rapide

Dans un grand bol de service, mélanger 1 L (4 tasses) de roquette (ou de mâche, de laitue frisée déchiquetée ou de jeunes épinards),
30 ml (2 c. à soupe) d'huile d'olive et
15 ml (1 c. à soupe) de vinaigre balsamique.
Garnir de poivre concassé, d'une pincée de fleur de sel et servir.

Donne 6 portions
Cette recette est meilleure préparée
à la dernière minute.

→

Brocoli sauté au miel et au sésame

Défaire 1 brocoli en fleurons. Peler le pied du brocoli et couper en bâtonnets. Dans un grand poêlon antiadhésif, chauffer 15 ml (1 c. à soupe) d'huile d'olive à feu moyen-vif. Ajouter 2 gousses d'ail hachées finement, 15 ml (1 c. soupe) de graines de sésame et une pincée de flocons de piment fort. Cuire 2 minutes. Ajouter les fleurons et les bâtonnets de brocoli et cuire 5 minutes ou jusqu'à ce que le brocoli soit cuit, mais encore croquant. Verser 15 ml (1 c. à soupe) de miel et 7,5 ml (1/2 c. à soupe) de sauce soya réduite en sodium. Poursuivre la cuisson 30 secondes en mélangeant pour enrober le brocoli. Servir.

Donne 6 portions.
Cette recette se conserve 4 jours au réfrigérateur ou 3 mois au congélateur.

←

Légumes poêlés à l'italienne

Couper 1 oignon rouge, 1 poivron rouge et 1 poivron jaune en cubes. Trancher 1 courgette (zucchini) en rondelles. Dans un grand poêlon antiadhésif, chauffer 15 ml (1 c. à soupe) d'huile d'olive à feu moyen-vif. Cuire l'oignon 2 ou 3 minutes pour l'attendrir. Ajouter les poivrons et la courgette. Cuire de 5 à 7 minutes en remuant à quelques reprises, jusqu'à ce que les légumes soient tendres (au goût). Transvider dans un grand plat de service et arroser de 15 ml (1 c. à soupe) de vinaigre balsamique. Garnir de 60 ml (1/4 tasse) de basilic frais haché grossièrement, de poivre concassé et d'une pincée de fleur de sel. Servir.

Donne 4 portions.
Cette recette est meilleure préparée à la dernière minute, mais se conserve 5 jours au réfrigérateur.

→

Pour varier les accompagnements

Vous avez l'impression de toujours manger la même chose ? En changeant
les accompagnements chaque fois, une simple viande grillée peut prendre
des allures de nouveau plat comme par magie ! Choisissez une idée
dans la colonne des produits céréaliers et des féculents et une idée parmi
les propositions de légumes, puis complétez avec la protéine de votre choix. Bingo !

PRODUITS CÉRÉALIERS ET FÉCULENTS

- Couscous gonflé au bouillon de poulet,
  puis assaisonné de jus de citron et
  de menthe fraîche
- Couscous israélien aux fines herbes
  (p. 184)
- Gnocchis grillés façon patates frites
  (p. 185)
- Grelots grillés (p. 185)
- Nouilles soba assaisonnées de sauce soya,
  de vinaigre de riz et de gingembre râpé
- Orzo au parmesan (p. 186)
- Pain baguette, naan ou pita
- Patates douces écrasées (p. 186)
- Polenta instantanée garnie de parmesan
- Pommes de terre coupées en frites,
  enrobées d'huile et cuites au four avec
  des herbes de Provence
- Pommes de terre rattes bouillies, garnies
  d'une noix de beurre et de ciboulette fraîche
- Purée de pommes de terre
- Quinoa rouge, bulgur ou épeautre cuit dans
  du bouillon de poulet ou de légumes
- Riz parfumé à l'asiatique (p. 184)
- Taboulé du commerce

LÉGUMES

- Betteraves précuites tranchées, garnies d'un filet d'huile,
  de vinaigre balsamique et de feta émietté
- Bouchées de chou-fleur caramélisé (p. 187)
- Brocoli sauté au miel et au sésame (p. 189)
- Carottes nantaises rôties au four garnies de miel et de thym
- Choux de Bruxelles grillés au four, garnis de parmesan
- Courge spaghetti gratinée
- Cubes de courge enrobés d'huile d'olive et grillés au four
- Kale au tzatziki (p. 188)
- Kale (chou frisé, voir p. 236) déchiqueté, enrobé d'huile
  et cuit en chips au four
- Légumes poêlés à l'italienne (p. 189)
- Maïs surgelé réchauffé au four à micro-ondes, garni
  d'une noisette de beurre et de poivre concassé
- Mini bok choys (voir p. 237) sautés avec de l'ail et
  de la sauce soya
- Poêlée de bette à carde (p. 187)
- Salade de chou rapide, avec de l'huile, du vinaigre, du poivre
  et du sel
- Salade de concombre avec du yogourt grec nature et
  de l'aneth frais
- Salade de rubans de courgette avec un filet d'huile d'olive,
  du jus de citron, des copeaux de parmesan et du poivre
  concassé
- Tranches de tomates garnies de basilic frais, d'huile d'olive
  et de fleur de sel
- Verdure rapide (p. 188)

Pour un repas équilibré

Quand on revient du boulot un peu essoufflé, manger santé devient soudainement moins prioritaire et on se laisse tenter par la solution facile… qui, on va se le dire, n'est pas toujours la plus nutritive ! Méfiez-vous de vous ! C'est une réaction normale du corps que de rechercher ce qui est plus gras et plus sucré lorsqu'il est fatigué. Il veut une source d'énergie rapide, tout de suite, maintenant ! Toutefois, le résultat est souvent à l'opposé : le repas gras nous assomme et on a juste envie de s'écraser après l'avoir avalé. Voici plutôt quelques trucs pour un repas qui vous gardera allumé, question de profiter pleinement de la fin de votre journée !

DES LÉGUMES EN ABONDANCE La moitié de votre assiette devrait être garnie de légumes ou de fruits. Crus ou cuits, c'est comme vous voulez. L'important, c'est de miser sur la plus grande variété possible et de choisir des fruits et des légumes frais ou surgelés de différentes couleurs.

DES PROTÉINES À CHAQUE REPAS Ce sont elles qui vous soutiendront jusqu'au prochain repas. Si vous les omettez, votre estomac risque de crier famine peu de temps après la dernière bouchée. Assurez-vous qu'environ le quart de votre assiette est composé d'aliments protéinés. Privilégiez les protéines de sources végétales (légumineuses, tofu, tempeh, edamames, noix, graines) à celles de sources animales (œufs, viande, volaille, poisson, fruits de mer, fromage, yogourt grec). Mais encore une fois, la clé, c'est de varier.

LES INDISPENSABLES PRODUITS CÉRÉALIERS Le dernier quart de votre assiette devrait être garni de grains et de céréales, une source d'énergie de choix pour votre cerveau et vos muscles. Il vous en faut à chaque repas. Quinoa, riz, orge, épeautre, avoine, sarrasin, kamut… et les pains, pâtes et autres produits faits à base de leurs farines : ce n'est pas le choix qui manque ! Osez essayer des aliments que vous avez moins l'habitude de cuisiner. Je parie que vous ferez de belles découvertes ! Misez sur les produits à grains entiers, pour bénéficier d'un maximum de fibres.

VISEZ LA SIMPLICITÉ Choisissez des aliments frais et le plus près possible de leur état naturel. En saison, privilégiez les récoltes locales. Ces produits demanderont un minimum de préparation et offriront un maximum de saveurs. Les soirs de semaine, oubliez les présentations sophistiquées, les recettes compliquées et les cuissons prolongées. Concentrez-vous sur l'essentiel : des aliments de qualité simples à préparer.

ASSAISONNEZ POUR LE PLAISIR Après les légumes, les protéines et les grains, la quatrième composante essentielle pour un repas réussi, c'est l'assaisonnement. Et, il existe de bien meilleures options que le sel, au goût et pour la santé. Des herbes fraîches ou séchées, des jus et zestes d'agrumes, du gingembre, de l'ail, du poivre, des épices… le choix est grand ! Lorsque vous cuisinerez les recettes de ce livre, commencez par ajouter les herbes et les épices prévues, goûtez et augmentez la dose si vous le désirez. Ajoutez du sel uniquement si c'est nécessaire, à la toute fin de la cuisson. Je préfère toujours bien assaisonner, poivrer généreusement et ajouter une seule pincée de sel dans toute la recette.

Finalement, pas de panique si un soir votre repas n'est pas parfaitement équilibré. Voyez votre alimentation dans son ensemble, comme un tout qui se complète au fil des jours et des semaines. L'important, c'est de ne pas perdre de vue le plaisir de manger !

Pour commencer par le commencement

Nouveau aux fourneaux ? Pas de panique, vous êtes probablement capable de cuisiner plus de choses que vous pensez. Faites-vous confiance et suivez ces quelques petits trucs pour passer de novice à pro (ou presque !).

· Avant de commencer une recette, lisez-la d'abord du début à la fin, pour avoir une vue d'ensemble des étapes à suivre. C'est le temps de *googler* les termes que vous ne connaissez pas et de vous assurer que vous avez tout ce qu'il vous faut pour préparer le plat convoité.

· Profitez des temps d'attente pour avancer d'autres étapes du repas. Pour un plat de pâtes, commencez par porter l'eau à ébullition avant même de sortir et de préparer vos autres ingrédients. Dressez la table pendant que les pâtes cuisent. Chauffez l'huile pendant que vous hachez l'ail. Préparez la salade pendant que la sauce mijote. Avec de la pratique, ces étapes s'enchaîneront tout naturellement.

· Pour éviter de vous retrouver avec une viande ou des pâtes trop cuites, utilisez le chronomètre de votre téléphone (ou une petite minuterie indépendante) pour suivre le fil. C'est tellement facile de se dire qu'on va y penser dans 10 minutes, puis de passer tout droit !

· Si vous hésitez entre deux grandeurs de bols pour mélanger, choisissez toujours le plus grand. C'est plutôt choquant d'essayer de mélanger quelque chose qui déborde parce que le bol est trop petit... Vos gestes seront plus rapides, et vous éviterez les dégâts !

· Maximisez l'utilisation de vos appareils. Pensez au four à micro-ondes, super pratique pour ramollir du beurre ou pour faire fondre du chocolat sans passer par le bain-marie. Et quand vous avez beaucoup de légumes à couper, n'hésitez pas à vous servir du robot culinaire.

· Même si vous suivez une recette à la lettre, c'est fort possible que le résultat final demande de petits ajustements. Il suffit d'un fromage moins salé, d'une laitue plus amère ou d'une viande moins tendre, et votre recette vient de prendre une nouvelle trajectoire. N'hésitez pas à goûter en cours de préparation. Prolongez les cuissons et rectifiez les assaisonnements au besoin. Ajoutez un peu plus de ceci ou de cela et notez les corrections à même la recette, pour vous en souvenir la prochaine fois.

Finalement, pourquoi ne pas en profiter pour cuisiner avec un ami plus expérimenté que vous ? En plus de pouvoir partager le fruit de votre travail, vous gagnerez des trucs de pro. Et si, au contraire, vous êtes du type « pas mal bon aux fourneaux », pourquoi ne pas en faire profiter votre entourage ? Je suis certaine que vous avez un neveu, une filleule, un cousin ou une amie qui serait très heureux de cuisiner à vos côtés !

Desserts gourmands

**Assez chic pour recevoir, assez rapide
pour un lundi soir**

Pas le temps de vous lancer dans la préparation
d'un gâteau trois étages un mercredi soir ?
Moi non plus. Je vous ai préparé des recettes
de desserts pas compliquées que vous pourrez
cuisiner rapidement, en même temps que vous
faites le souper. Ils iront au four, au congélo
ou au frigo pendant que vous passez à table et
seront prêts à temps pour que vous vous régaliez
après le souper. J'appelle ça des gâteries
synchronisées !

Biscuit à la poêle

Si ta mère te dit que tu peux manger juste un biscuit, demande-lui celui-là.

PORTIONS — 10

PRÉPARATION — 15 MIN

CUISSON — 25 MIN

INGRÉDIENTS

Noix de Grenoble — 80 ml (1/3 tasse)

Cassonade — 160 ml (2/3 tasse)

Huile végétale — 80 ml (1/3 tasse)

Œuf — 1

Poudre à pâte — 5 ml (1 c. à thé)

Extrait de vanille — 5 ml (1 c. à thé)

Farine tout usage — 250 ml (1 tasse)

Pépites de chocolat — 80 ml (1/3 tasse)

PRÉPARATION

1 Préchauffer le four à 180 °C (350 °F). Placer la grille au centre du four. Huiler un poêlon en fonte (voir Note, p. 123) de 20 ou 23 cm (8 ou 9 po) de diamètre.

2 Hacher les noix de Grenoble.

3 Dans un bol moyen, mélanger à la fourchette la cassonade, l'huile, l'œuf, la poudre à pâte et l'extrait de vanille.

4 Ajouter la farine et mélanger. Incorporer les pépites de chocolat et les noix de Grenoble.

5 Verser la pâte dans le poêlon et bien répartir.

6 Cuire au four 25 minutes. Couper en pointes et servir.

Se conserve 1 semaine à température ambiante dans un contenant hermétique ou 3 mois au congélateur.

VALEUR NUTRITIVE

Calories 233 — Protéines 3 g — Lipides 12 g — Glucides 29 g — Fibres 1 g — Sodium 49 mg

Sorbet aux fraises et aux betteraves

Des betteraves dans un sorbet :
l'art de faire jaser vos invités et de clouer le bec à vos enfants.

PORTIONS — 4
PRÉPARATION — 10 MIN
REPOS — 30 MIN

INGRÉDIENTS

Fraises surgelées — 500 ml (2 tasses)

Betteraves cuites (voir Note) — 3

Yogourt grec nature — 125 ml (1/2 tasse)

Sirop d'érable — 60 ml (1/4 tasse)

Graines de lin moulues — 15 ml (1 c. à soupe)

PRÉPARATION

1   Au robot culinaire, mixer tous les ingrédients pour obtenir un mélange homogène.

2   Transférer dans un contenant hermétique et congeler pour un minimum de 30 minutes.

Se conserve 1 mois au congélateur.

NOTE   Pour un dessert de soir de semaine, les betteraves cuites emballées sous vide vous feront économiser beaucoup de temps ! Pour les cuire vous-même, peler les betteraves, couper en tranches et cuire à la vapeur de 10 à 15 minutes, ou jusqu'à ce qu'elles soient tendres.

VALEUR NUTRITIVE

Calories 125 — Protéines 4 g — Lipides 1 g — Glucides 25 g — Fibres 3 g — Sodium 44 mg

Compote de bleuets et de canneberges

Manger de la confiture à la cuillère, ici, c'est permis.

PORTIONS — 4

PRÉPARATION — 5 MIN

CUISSON — 15 MIN

INGRÉDIENTS

Bleuets surgelés — 250 ml (1 tasse)

Canneberges surgelées — 250 ml (1 tasse)

Graines de chia (voir p. 236) — 30 ml (2 c. à soupe)

Sirop d'érable — 30 ml (2 c. à soupe)

PRÉPARATION

1   Dans une casserole moyenne, mélanger tous les ingrédients.

2   Porter à ébullition et laisser mijoter à feu doux 15 minutes. Retirer du feu et laisser tiédir.

3   Servir sur de la crème glacée.

Se conserve 1 semaine au réfrigérateur ou 6 mois au congélateur.

VALEUR NUTRITIVE

Calories 85 — Protéines 1 g — Lipides 2 g — Glucides 17 g — Fibres 4 g — Sodium 3 mg

Crumble aux poires et à la cardamome

Une croustade survoltée, prête à faire le *party* !

PORTIONS — 4
PRÉPARATION — 10 MIN
CUISSON — 32 MIN

INGRÉDIENTS

Poires — 2

Flocons d'avoine à l'ancienne (gros flocons) — 60 ml (1/4 tasse)

Graines de citrouille — 30 ml (2 c. à soupe)

Cassonade — 15 ml (1 c. à soupe)

Huile végétale — 15 ml (1 c. à soupe)

Cardamome moulue — 1 ml (1/4 c. à thé)

PRÉPARATION

1   Préchauffer le four à 190 °C (375 °F). Placer la grille au centre du four.

2   Couper les poires en deux sans les peler. Retirer le cœur et couper en gros morceaux. Déposer dans un moule carré de 20 cm (8 po) de côté.

3   Dans un petit bol, mélanger l'avoine, les graines de citrouille, la cassonade, l'huile et la cardamome. Répartir sur les poires.

4   Cuire au four 30 minutes et terminer la cuisson sous le gril (*broil*) 2 minutes.

Se conserve 5 jours au réfrigérateur ou 1 mois au congélateur.

VALEUR NUTRITIVE

Calories 168 — Protéines 4 g — Lipides 8 g — Glucides 22 g — Fibres 4 g — Sodium 4 mg

Pouding choco-chia

Un pouding chic et branché qui goûte le *Quik* de notre enfance.

INGRÉDIENTS

Boisson de soya nature — 375 ml (1 1/2 tasse)

Graines de chia (voir p. 236) — 80 ml (1/3 tasse)

Cacao — 45 ml (3 c. à soupe)

Sirop d'érable — 30 ml (2 c. à soupe)

Extrait de vanille — 2,5 ml (1/2 c. à thé)

Framboises — au goût (facultatif)

PRÉPARATION

1   Dans un pot Mason d'une capacité de 500 ml (2 tasses), déposer tous les ingrédients, sauf les framboises.

2   Refermer le pot, bien agiter et réfrigérer de 30 minutes à 1 heure.

3   Répartir dans 4 bols, garnir de framboises fraîches, si désiré, et servir.

Se conserve 5 jours au réfrigérateur et ne se congèle pas.

VALEUR NUTRITIVE

Calories 146 — Protéines 6 g — Lipides 6 g — Glucides 19 g — Fibres 8 g — Sodium 41 mg

Le parfait dessert

Vite fait et plus-que-parfait

Les soirs de semaine, on vise la simplicité.
Ça ne veut pas dire qu'on ne peut pas s'amuser
à composer des desserts élégants qui ont
de la personnalité ! Voici cinq coupes étagées
faciles à assembler et encore plus faciles
à dévorer. Il ne vous manque plus que de jolis
verres, et c'est réglé ! De l'exotique
à la réconfortante, laquelle sera votre préférée ?

Parfait façon forêt-noire

Vous succomberez facilement à ce parfait parfaitement décadent.

INGRÉDIENTS

Cerises surgelées — 500 ml (2 tasses)

Fromage frais quark (voir p. 236) — 1 pot de 375 g

Miel — 60 ml (1/4 tasse)

Chapelure de biscuits Oreo — 250 ml (1 tasse)

Chocolat noir — au goût

PRÉPARATION

1   Dans un poêlon moyen, préchauffé à feu vif, cuire les cerises 5 minutes ou jusqu'à ce que le liquide soit sirupeux. Retirer du feu.

2   Pendant ce temps, dans un bol moyen, mélanger le quark et le miel.

3   Dans 4 verres, en formant des étages, répartir la moitié de la chapelure, du fromage quark et des cerises. Répéter avec l'autre moitié des ingrédients.

4   À l'aide d'une râpe fine (de type Microplane), garnir chaque verre de chocolat finement râpé.

Cette recette est meilleure préparée à la dernière minute.

VALEUR NUTRITIVE

Calories 283 — Protéines 14 g — Lipides 6 g — Glucides 50 g — Fibres 2 g — Sodium 171 mg

Parfait façon *banana split*

Un parfait sucré-salé préparé sans faire d'acrobatie ni de détour à la crémerie.

INGRÉDIENTS

Yogourt grec nature — 375 ml (1 1/2 tasse)

Dulce de leche — 80 ml (1/3 tasse), divisé

Bananes — 2

Arachides salées — 80 ml (1/3 tasse)

PRÉPARATION

1   Dans un bol moyen, mélanger le yogourt et 45 ml (3 c. à soupe) de dulce de leche.

2   Couper les bananes en rondelles.

3   Dans 4 verres, en formant des étages, répartir la moitié du yogourt, des bananes et des arachides.

4   Répartir le reste du yogourt, des bananes et des arachides. Garnir du dulce de leche restant.

Cette recette est meilleure préparée à la dernière minute.

VALEUR NUTRITIVE

Calories 257 — Protéines 14 g — Lipides 8 g — Glucides 34 g — Fibres 2 g — Sodium 112 mg

Parfait tropical au tapioca

Quand votre douce et gentille grand-maman s'éclate à Punta Cana, ça donne ça !

PORTIONS — 4

PRÉPARATION — 15 MIN

CUISSON — 10 MIN

REPOS — 15 MIN

INGRÉDIENTS

Lait de coco léger (voir p. 236) — 1 boîte de 398 ml

Tapioca à cuisson rapide (voir p. 237) — 30 ml (2 c. à soupe)

Mangue surgelée — 500 ml (2 tasses)

Kiwis — 2

Sirop d'érable — 30 ml (2 c. à soupe)

Flocons de noix de coco rôtie — 30 ml (2 c. à soupe)

PRÉPARATION

1   Dans un grand bol allant au four à micro-ondes, mélanger le lait de coco et le tapioca. Laisser reposer 5 minutes.

2   Pendant ce temps, dans un autre bol allant au four à micro-ondes, chauffer la mangue environ 2 minutes pour la décongeler.

3   Couper la mangue et les kiwis en dés. Réserver.

4   Chauffer le mélange de lait de coco et de tapioca 6 minutes au four à micro-ondes. Bien mélanger à l'aide d'un fouet. Poursuivre la cuisson 2 minutes.

5   Ajouter le sirop d'érable et bien mélanger. Réfrigérer au moins 15 minutes (voir Note).

6   Dans 4 verres, en formant des étages, répartir le tapioca, la mangue et le kiwi. Garnir de flocons de noix de coco.

Cette recette est meilleure assemblée à la dernière minute. Le tapioca se conserve 5 jours au réfrigérateur et ne se congèle pas.

NOTE   Idéalement, préparez le tapioca avant de vous mettre à table et placez-le au frigo avant le repas. Au moment du dessert, il aura eu le temps de refroidir et il ne vous restera plus qu'à assembler !

VALEUR NUTRITIVE

Calories 189 — Protéines 2 g — Lipides 8 g — Glucides 30 g — Fibres 2 g — Sodium 23 mg

Parfait façon tarte aux pommes

Le plaisir d'une bonne tarte aux pommes, sans enfariner la cuisine !

INGRÉDIENTS

Pomme — 1

Compote de pommes non sucrée — 250 ml (1 tasse)

Cannelle moulue — 2,5 ml (1/2 c. à thé)

Yogourt grec nature — 500 ml (2 tasses)

Sirop d'érable — 60 ml (1/4 tasse)

Céréales granola — 125 ml (1/2 tasse)

PRÉPARATION

1   Couper la pomme en petits dés et déposer dans une petite casserole.

2   Ajouter la compote et la cannelle. Mélanger et porter à ébullition à feu vif.

3   Réduire à feu doux et laisser mijoter 5 minutes ou jusqu'à ce que les pommes soient tendres.

4   Pendant ce temps, dans un bol moyen, mélanger le yogourt et le sirop d'érable.

5   Dans 4 verres, répartir la moitié du granola. Répartir le yogourt, verser la compote chaude, garnir du reste de granola et servir.

Cette recette est meilleure préparée à la dernière minute.

VALEUR NUTRITIVE

Calories 257 — Protéines 14 g — Lipides 4 g — Glucides 40 g — Fibres 3 g — Sodium 52 mg

Parfait façon tarte au citron

Pas besoin de se presser le citron avec ce parfait prêt en moins de 15 minutes !

PORTIONS — 4
PRÉPARATION — 10 MIN
CUISSON — 2 MIN 30

INGRÉDIENTS

Citrons — 2

Limes — 2

Eau — 180 ml (3/4 tasse)

Fécule de maïs — 45 ml (3 c. à soupe)

Sirop d'érable — 60 ml (1/4 tasse)

Curcuma moulu — 1 pincée

Crème glacée à la vanille — 500 ml (2 tasses)

Biscuits Graham — 4

PRÉPARATION

1 Dans un grand bol allant au four à micro-ondes, presser les citrons et les limes. Verser l'eau.

2 Ajouter la fécule de maïs et le sirop d'érable. À l'aide d'un fouet, bien mélanger.

3 Cuire au four à micro-ondes 1 minute 15 secondes. Fouetter et cuire 1 minute 15 secondes ou jusqu'à l'obtention d'une texture de pouding. Ajouter le curcuma et fouetter.

4 Laisser tiédir à température ambiante (voir Note).

5 Dans 4 verres, répartir la crème glacée. Garnir de crème au citron et concasser grossièrement les biscuits Graham directement au-dessus des parfaits. Servir.

Cette recette est meilleure préparée à la dernière minute.

NOTE Laissez tiédir à température ambiante, car au réfrigérateur la crème au citron durcit et elle est ensuite difficile à verser sur la crème glacée.

VALEUR NUTRITIVE

Calories 249 — Protéines 4 g — Lipides 8 g — Glucides 42 g — Fibres 0 g — Sodium 76 mg

INDEX PAR ALIMENT

INDEX PAR SUJET

LISTE DES RECETTES

Le garde-manger

Vous ne connaissez pas certains des ingrédients utilisés dans ce livre ?
Visitez mon garde-manger sur savourer.ca ; je vous y explique où les
trouver, comment les conserver et dans quelles recettes les utiliser.

Bette à carde

Chapelure panko

Couscous israélien (couscous perlé)

Fromage frais quark

Graines de chia

Haricots de Lima

Huile de sésame grillé

Kale (chou frisé)

Lait de coco

Mini bok choys

Orge perlé

Paprika fumé

Pâte à pizza du commerce

Pâte de cari rouge thaï

Ras-el-hanout

Sauce de poisson

Sauce hoisin

Tapioca à cuisson rapide

Remerciements

Le deuxième titre de cette nouvelle collection de livres de recettes, je le dois à ma fabuleuse équipe. Je ne pourrais pas porter seule la réalisation d'un projet aussi ambitieux. Si je suis la chef d'orchestre, je peux vous dire que j'ai les meilleurs musiciens du monde. J'ai un réel plaisir à travailler avec ce petit noyau créatif, talentueux et rigoureux. Des femmes que j'admire et qui me rendent très fière. Ensemble, on s'est donné la mission de vous aider à manger plus sainement et plus simplement. Chaque jour, on se remet en question afin de renouveler nos idées et perfectionner nos astuces. Je n'y serais pas arrivée sans elles.

C'est donc remplie de reconnaissance que je tiens à remercier ma belle équipe. D'abord Maude Beauregard, ma précieuse copilote, et Marianne Denis, qui a coordonné avec brio notre talentueuse équipe de nutritionnistes formée de Andrée-Anne Harvey, Jef L'Ecuyer, Marie-Pier Leroux et Cynthia Chaput. Puis Mylène Tétreault, qui s'occupe de nos communications avec bonne humeur et efficacité. Et enfin Adrianne Langlois et Zoé Witala, qui se sont assuré que tout roule au bureau !

Nous avons beau développer les meilleures recettes, pour que vous ayez envie de les cuisiner, je dois vous faire saliver. C'est pour cette raison que je me suis entourée de la meilleure équipe artistique. Ma chère amie Catherine Gravel, directrice artistique, la talentueuse Maude Chauvin, photographe, le passionné Daniel Raiche, styliste en chef, la merveilleuse Marie-Christine Champagne, styliste culinaire, la très efficace Emilie Deshaies, designer graphique, et le très rigoureux Charles Gravel, réviseur. Je vous le dis, c'est l'élite !

Et si vous tenez ce livre entre vos mains, c'est parce que j'ai la chance d'avoir un éditeur, le meilleur. Je suis si honorée que les Éditions de l'Homme m'aient confié cette collection. Judith Landry, merci pour ta confiance, ton ouverture, ta bienveillance. Tu m'as offert tes meilleurs atouts pour m'épauler : Emilie Mongrain, Frédérique Grenouillat, Diane Denoncourt, Chantal Landry, Johanne Lemay, Sylvie Tremblay, Lucie Desaulniers, Sylvie Massariol et toutes les autres petites abeilles qui font de ta ruche la maison d'édition la plus créative et efficace du Québec.

Pierre Karl Péladeau, Lyne Robitaille, Christian Jetté, merci de m'offrir toutes ces possibilités au sein de votre belle grande famille.

Sébastien G. Côté, mon agent si protecteur et bienveillant
Stéphane, mon amoureux et mon confident
Maude, ma fille, qui m'aide à toujours me dépasser
Ma maman, toujours là pour moi
Mes amis, mes supporters de la première heure

Et vous, chers lecteurs. De savoir que vous cuisinez mes recettes me rend si fière, je me sens privilégiée d'avoir une place dans votre quotidien. Continuez de prendre soin de vous et des gens qui vous sont chers en cuisinant sainement. C'est un si beau geste d'amour !

Suivez-nous sur le Web

Consultez nos sites Internet et inscrivez-vous à l'infolettre
pour rester informé en tout temps de nos publications et
de nos concours en ligne. Et croisez aussi vos auteurs
préférés et notre équipe sur nos blogues!

EDITIONS-HOMME.COM
EDITIONS-JOUR.COM
EDITIONS-PETITHOMME.COM
EDITIONS-LAGRIFFE.COM
RECTOVERSO-EDITEUR.COM
QUEBEC-LIVRES.COM
EDITIONS-LASEMAINE.COM

Cet ouvrage a été achevé d'imprimer sur les presses
d'Imprimerie Transcontinental, Beauceville, Canada